# 命響け
# 希望に輝く宇宙まで

## 椰子の実の流れ寄る宝の島

長浜 三雄

郁朋社

# まえがき

若い世代が、平和憲法を守り行動できる人間に成長することを願って、次の詩を読みながら希望に輝く星空を飛び立とうではないか。

／本を読むとき／ぼくらは宇宙の彼方へ舞いあがる／ぼくらの読む一冊の本は宇宙空間だから／表紙を開けば言葉の王子さまたちが飛び立つ／いつもとは違う時間の流れの中に知識の泉が広がる／孤独な空間を飛び回っているが／それにはなんの準備も必要としない／ぼくらは小さなポケットに宇宙を忍ばせながら／大きな夢を抱いて宇宙を駆け回るのだ／若き宇宙の飛行士たちよ／すてきな速さで宇宙へ飛び立とう／宇宙は君たちを待ってるのだ／

現在、沖縄の置かれている社会的、政治的、軍事的状況は、戦後七四年経っても依然として変わらない差別至上主義の日米軍事帝国植民地支配下にあることを、じっくりと静座して現実認識することである。

沖縄の軍事的植民地状況の変化は、二〇一八年六月一二日にシンガポールで、敵対意識が続いて世界の人々に恐怖を与えてきたトランプ米大統領と金正恩北朝鮮労働委員長と世紀の首脳会談が開かれたことからもうかがえる。世界の人々が今世紀初頭の最大の会談であることに注目が集まっている。

その会談が国際的に良い状況にすすめば、沖縄の日米軍事帝国植民地支配の圧力主義の悪条件から逃れて、基地撤廃への道標（みちしるべ）が示されることを県民は強く望んでいる。しかし、それにもかかわらず、会談内容とは裏腹に米軍事帝国植民地主義の支配者たちは、揃いも揃って米国と北朝鮮の会談後も、影響を受けず、沖縄へ駐留することには変化はない、というコメントをしているのである。

世界の軍事情勢の変化によって、沖縄の駐留軍は「極東の要石」と判断しているため、永久に日米軍事帝国植民地支配下に置かれ、いざという時、再び戦場と化する沖縄になるのは現実になってきている。

復帰四七年が経過している現在、にわかに新聞報道されたのが沖縄へ核兵器搬入の可能性である。辺野古と嘉手納には極東最大で巨大な弾薬庫が存在しているため、いつでも搬入できるようにその準備は整っていると指摘されているのである。

国内軍事帝国植民地政府も、政治機構の深部に悪魔が宿っていて公然の認識をしているので、県民を無視するのは当然と心の奥底に隠し持っているようだ。しかし、日本は被爆国という悲惨な戦争認識も薄らいでいるので、国民が抵抗して戦争準備の勢いを阻止することができないと、再び来た道に舵を取る方向になっていくことに危惧の念をいだくのだ。

核廃絶に関する世界各国の首脳たちの討議について、日本は被爆国としてあまりにも無気力な印象を強く受ける。それについて、二〇一三年四月報道のヨーロッパ諸国の会議で「核不使用」の決議案に対して、日本は「いかなる状況下でも」の文言に異議を差し挟む態度で賛同せず、署名も拒否している。そのことは「アメリカの核の傘下と北朝鮮の核脅威の下では署名しない」というのがその理由となっているのである。

日本の官僚政治権力者たちが、原爆投下で多くの国民が犠牲になった過去の歴史認識を顕著に受け止めることができれば、会議で率先して核廃絶に向けて進行を助言していくべきで「いかなる状況下」の理由も付けず、核なき世界の国際会議に賛同すべきではないか。

核兵器の貯蔵に怯えている沖縄では、被爆地だけの問題ではなく一刻を争う緊急事態に直面している状況にある。

沖縄に巨大な弾薬庫があることは、軍事上の理由であるとか、また国内軍事帝国植民地軍隊も辺野古に軍事要塞基地が完成すれば、弾薬庫を設置する計画である。将来核武装すれば、核貯蔵庫も悪魔の政治組織が計画するのは予想できる。何故ならば、復帰後は非核三原則で撤去されたと言明しているが、その後再び核貯蔵について問題が持ち上がっているからである。有事の際には、即座に持ち込むという暗黙の了解を得ているのだ。

沖縄には都合の悪い事実を徹底的に直隠（ひたかく）しにかくす日米軍事帝国植民地主義国家の政策の下では隠蔽体質を持っているので、核の持ち込みや貯蔵には完全に国民や県民の目に触れない秘密裏に閉された秘密貯蔵庫のような政治体系となっている。

若者たちが、この現状を即座に認識して危機的状況に進んでいく国家体制に抵抗して、国民及び沖縄県民を先導し、行動する若き力で抵抗運動に盛り上げていけば、きっと軍事帝国植民地政策に脅かされない平和の国家へ進むことができる。月よ星よと眺める島が、本来の沖縄の未来像である。

命響け希望に輝く宇宙まで／目次

まえがき……1

第一章　軍国主義教育時代と民主主義教育時代の虚像と実像

一、洗脳された軍国主義教育への信奉……13
二、校長先生は神様の使者である……16
三、教科書は三種の神器である……17
四、貧しい生活の中に希望の光を求める……18
五、なぜ家庭崩壊となるのか……20
六、大家族の中の生活と現代少子化による過保護の子供たち……21
七、お金の奴隷に屈しない人生観を考える……22

## 第二章　学童疎開の地獄の一丁目から終戦まで

一、夢と希望が奪われた少年時代……27
二、悪性遺伝子のいじめに抗する……30
三、軍装を整った鬼畜米兵を目の当たりにして……32
四、民族解放に歓声が起こる朝鮮人……34
五、差別至上主義によるいじめは国家の責任である……35

## 第三章　椰子の実の流れ寄る珊瑚礁の島

ネイティブアメリカの土地強奪闘争に酷似した辺野古新基地
——未来永劫軍事帝国植民地化を目指す米国民政府——……39
一、苛酷な運命を予測した終戦直後から辺野古まで……39
二、米軍の土地強奪に抵抗する学生たち……42

三、米軍悪魔兵による少女暴行殺人事件の怒り……45
椰子の実の流れよる美ら島　―基地のない島で美しい星座を眺める―……47
宮森小の惨事を永遠に語り伝える　―倚門の望の遺族の悲しみと怒り―……52
一、政治的中枢を支配する軍事植民地政策の始動……52
二、断腸の思いで悲嘆の涙に暮れる遺族たち……53
三、伝統組踊にのせて未来につなぐ……55
四、倚門の望から脱する世の中へ……56
ひめゆり学徒隊と共に　―生死の狭間をさまよう乙女たち―……58
一、命短い人生を失った戦場の乙女たち……58
二、未来をみつめ未来に希望の光を求めて……59
三、命よ輝け希望に輝く星空を眺めて……61
四、現実をみつめ光り輝く未来に向けて……62
窮鼠却って猫を嚙む教師たちの抵抗　―教公二法案廃止に闘いを挑む―……64
文学に何を求めるか　―現代作家は行動する―……67

## 第四章　理不尽の沖縄から未来を考える

一本のエンピツで政治の流れが変わる　―生きる権利を主張し行使しよう― …… 75
一、喜びは泡のように悲しみは長河の流れ― …… 75
二、一八歳・一九歳の権利行使で腐敗政治を変える …… 79
地に落ちたノーベル平和賞　―この賞の権威が失墜しないために― …… 81
一、はじめに …… 81
二、資本主義体制とノーベル平和賞 …… 82
三、社会主義体制とノーベル平和賞 …… 85
政治的差別至上主義に屈しない沖縄　―政治的悪性遺伝子は世界共通である― …… 88
一、ウチナーンチュ、マキテーナイビランド― …… 88
二、芋の煮えたもご存じない者が学生に講義する …… 91
政界の伏魔殿と化した沖縄防衛局　―敵方を味方に引き入れるつわものたち― …… 94
歴史的転換期を迎えている沖縄　―評価書は悪魔の贈物である― …… 97
予見不可解でない軍事クーデターと沖縄　―起爆剤の拠点が沖縄である― …… 100
柔軟性に富む釣魚島の名称　―国際間の緊張緩和になることを願う― …… 104
国民は政治に何を求めているのか　―国民の要望と乖離した政界― …… 106

御百度を踏む政治指導者に騙されない　―地球温暖は美しい自然破壊である―……109
密約国家主義に虐げられている沖縄　―専制体制主義の政治的圧力である―……112
頼りない宙に浮いた政治政策の結末　―開けて悔しい浦島の子―……115
軍事植民地支配に屈しない抵抗運動
―一丸となれば千丈の堤も蟻の穴より崩れる―……118
舌先三寸で物を言う沖縄人と言われて　―ぶれる政治家が沖縄を売る―……123
再び来た道を歩むな　―あなたは今、隣国と手を結ぶことができる―……126

## 第五章　沖縄に功罪をもたらした政界の群像

日米共同声明に対峙し罷免された党首　―沖縄と共に行動する政治家―……131
党籍を離脱した国会議員の波紋　―沖縄に寄り添う政治家として―……134
開けて悔しい玉手箱のむなしさ　―綸言汗の如しの政治信念を身につけるべし―……137
実力よりも肩書きが物を言う政界　―沖縄の一斑を見て全豹を卜(ぼく)するなかれ―……141
政界の争いは国民に毒である　―犬猿の仲の政治的対決を注視する―……147
一、党代表選出に向けての政界……147

二、党首代表の時の権力者となった人間像……149
三、国民によって選ばれた者が総理となる……152
阿漕なことを言う政治権力者の実体 ――お金好きの我利我利亡者は危険――……154
政治的悪性遺伝子の差別主義を跳ね返す
――今年は年回りが悪いと嘆くことなかれ――……158
資源をめぐる中国と日本の外交問題の差異 ――危ない橋を渡るなかれ――……162
ぶれない政治家が沖縄を救う ――前知事の残した足跡を考える――……166

## 第六章　今を共に平和に生きる権利のために

被爆地長崎から核廃絶を訴える ――第八回二・一一平和教育研究集会に参加して――……173
一、原爆の爆心地に立って考える……173
二、なぜ核廃絶に世界中が動くのか……175
三、心頭を滅却すれば火もまた涼しへの人間育成へ……178
核時代と人間の生き方 ――あなたは今、しあわせか――……179
一、核廃絶は人類究極の目標である……179

二、核戦争を秒読みの段階にしてはならない …… 181
三、もと来た道とは何か …… 182
四、足枷になっている安保条約廃案へ …… 184
五、民主主義は虚妄となったのか …… 186
六、核武装論は人類破滅への道である …… 188
テレビのなかの殺人狂時代を考える ——日常的に殺人行為を重視する—— …… 192
一、悪魔の怪獣と愛嬌のある幽霊やお化けの正体 …… 192
二、悪魔の核兵器に洗脳されない …… 194
あとがき …… 198

# 第一章　軍国主義教育時代と民主主義教育時代の虚像と実像

## 一、洗脳された軍国主義教育への信奉

戦前の軍国主義教育時代の学習活動で、一番嫌いな授業の時間は、戦争を題材にした絵を描く図画の時間であった。例えば、軍艦・飛行機が中心で、それに反した絵となる花や魚などの自然を対象にした風景や動植物は全く認めようとしない。自然風景を描くと厳重な注意をされるのである。教師に反抗し、指導を拒否すれば、鬼より怖い存在である。教師も徹底した軍国主義教育に関連した図画教育を推し進めていたと言えるのである。

二一世紀の現在、NHK沖縄版の「ぼくの絵、わたくしの絵」の番組に、沖縄の児童生徒たちが、日米軍事帝国植民地支配下にありながら戦争に関する絵を描くこともなく、家族に関する絵や自然風景が多いことは、平和を象徴する雰囲気である。

また、運動会や体育時間には、兵隊になるための軍事訓練が取り入れられて露骨な軍国教育への士気を鼓舞していたのである。例えば、当時の敵国である米英の指導者のルーズベルト米大統領とチャーチル英首相の藁(わら)人形を立てて級長が「鬼畜米英を突け」と号令をかけて竹槍で突く時間が体育である。

更に強力な軍国主義教育をすすめるために道徳教育の一環に「修身」の時間が設定されていた。狂信的な天皇絶対崇拝の教育を推進する教師たちの教育基本方針である。国家と神道との関係について

「修身」教育で頭の脳髄まで浸みこまされる教育活動となっている。例えば、教師と生徒たちが一体となって次のような道徳教育の授業がなされた。

「日本ヨイ国、キヨイ国。世界ニ一ツノ神ノ国。日本ヨイ国、ツヨイ国。世界ニカガヤクエライ国」というように、全学級の生徒たちに声高らかに音読させるのである。

　昼食時間は、自然に出る言葉として唱えられた背景に、各家庭には天皇崇拝をさせるために、神聖な存在として教育するには「天照大神」の色紙を配って、天皇の絶対的権力者として崇められていた。そのために教師が音頭を取って「箸トラバ天ツチノ御代ノ恩恵ミ、君ト親子ノゴ恩アジハヘ」を全員で合唱して食事をする自然的な雰囲気である。生徒たちが食事をできるのは、天皇のお陰である、と指導され感謝の意を表して食べるようにという指導方針となっていた。

　しかし、家族全員が汗を流して苦労して作った農作物を、あたかも天皇の恵みであることに対して、疑問に思っても教師も洗脳されていたのか、十分な説明もしないのである。洗脳されると、軍国主義教育の恐怖を知らない時代錯誤の産物である。

　学校教育に止まらず、地域社会の活動にも軍国主義教育が強制的に推し進められていたのである。例えば、天皇崇拝に関する農作物について、春季皇霊祭（現在の春分の日）と秋期皇霊祭（現在の秋分の日）の行事は、地域社会の住民主催によるはなやかな祭り行事となっていた。

　このように、学校教育や地域住民の催し物は、すべて皇室崇拝を除いての行事はないのである。言霊の幸わう国に背くことのないように、天皇や皇室崇拝に関しては、カタカナ混じりの文語体になっていて、その意味などの内容説明もなく質問も許されない、ただひたすら暗誦するように進めるのみである。
戦後の官僚政治権力者の首相が「日本は神の国である」と発言して、国民から神話伝説の復活論に結び付き戦前の軍国主義教育への二の舞を踏むことを恐れて抗議を集中的に浴びせられている。これに因んで、道徳教育の恐怖心を煽り立てるのは、戦前の教師たちが力を振り絞って主張したのは、日本は神の国で、天皇は神の国から地上に下りて臣民（現在の国民）を見守っているということだった。そして、年間行事の学校教育の中で最も神聖といえる、天皇の写真（御真影）と教育勅語をおさめた「奉安殿」という豪華な建物に対して、最敬礼をして登下校しなければならない。もし怠ると上級生が厳しく叱り付けて指導するのである。

その重要な行事として、学校長はその建物から教育勅語の入った玉手箱から取り出して全生徒に深く頭を下げさせ黙祷をさせながら「朕惟（チンオモ）フニ、我ガ皇祖皇宗、国ヲ肇（ハジ）ムルコト宏遠ニ徳ヲ樹（タ）ツルコト深厚ナリ……」というように、文語調で読みあげるため、生徒には上の空で棒立ちの状態で静かに聞かなければならない。炎天下の青空の下で、全生徒たちには厳粛な行事となって我慢しなければならない。

更に、校庭で目を引くのは道徳教育として二宮金次郎（二宮尊徳）の銅像が設置され、いつでも絶えず見ながら行動するように担任教師から指導される。現代の社会環境では、この銅像を手本にすると交通事故の悲劇に遭うことになるかも知れないであろう。

## 二、校長先生は神様の使者である

校長先生は、天皇の召使いであり、神に近い存在であるから、年間でまともに対面することもなく天皇に関する学校行事以外には接することもないので、行事には極度に緊張した雰囲気になり神経も高ぶって気が動転する生徒も多かったのである。世界中で最も偉く美しい人間として教えられていたため、天皇や校長先生は、死ぬことも病気もなく、食事もしないで済むから何と、世の中にこのような神様がいるのであろうか、と羨ましく思ったことを覚えている。

人間は、食事をすると必ず毎日便所に行く習慣があるにもかかわらず、大便や小便は臭くて汚いものだという感覚があるから、天皇や校長先生には便所もなく、臭いものも出さなくてよいなあ、という思いから神様であって私達とは違った存在であるため、羨ましく思っても遠い存在である、と感じていたのである。

校長先生のみならず、当時の教師たちは、威厳があったので授業中には巡視することもなく授業が終われば、職員室へ直進する。生徒へ話し掛けることもなく、生徒間の教室でのいざこざにも無関心で指導することもないのは「一歩さがって師の影を踏まず」という気持ちが生徒や父兄の中にあったからであろう。教師に異議を申し立てることは論外であったのである。職員室には自由に出入りできないし、生徒が喧嘩したり騒がしくしても無関心であったのである。また、問題の「いじめ」があっても個人指導らしいものはなく、もし著しい問題行動があった場合には、生徒の前で名誉棄損になると思われることもあり、軍国主義教育の下では人間尊重は微塵もなかったと言えるのだ。

当時の学校教育では、教師たちの間で贔屓（ひいき）の引き倒しをするのは当然のように習慣的になっていたのである。職員会で校長先生による話し合いによる伝達事項もなかったのであろうと思われる。

学年終了の前に学級のまとめとして、学芸会の催し物が生徒には大きな関心事である。それに参加するか否かによって、成績の優劣の基準として判断していたのである。学級の中で腕白で成績優秀な生徒は、学芸会では主役に当てられる教育の現状があったのである。

## 三、教科書は三種の神器である

戦前の軍国主義で忘れられない記憶に、もし緊急事態が発生した場合にはその状況から脱するときに必ず持ち出すものは教科書、天照大神の色紙に位牌の三つである。

戦後になって歴史書を読み、更に文部省検定済の教科書裁判の家永三郎教授の証言集を読んでいると教科書以外の本を読むことを禁じられていたと言われていたが、現在のような少年少女向けの雑誌はなく、教師の読書への案内指導もない時代であったのである。その背景には、共産主義の本を読むとそれに没頭して共産主義者が増えることを国家体制は恐れていて侵略戦争ができない、と言うことで禁止していたようである。

一九四一年（昭和一六年）から「国民学校」へ改められてその時代の生徒たちには、軍国主義とか共産主義という用語の真の意味を知る感覚はない。当時の教師たちも軍国主義教育の弊害とは何か、ということを真剣に考える余裕もなく、ただ教育体制として国家に従い、国家主義の教育指導の下で天皇崇拝の教育には生徒たちにその理由を教えることはなかったのである。教科書以外の本は読めないので政治の動きも理解することができず、教科書を宝物として大切に取り扱われていた時代錯誤の中で、世の中の動向には知らぬが仏であり、また、知る由もない時代の状況である。

その制度改革から八カ月後の一二月一五日に、真珠湾奇襲攻撃による日米太平洋戦争の勃発である。すべての臣民（現在の国民）が、一致団結して戦争遂行に従う軍事態勢に拍車を掛けていたのである。

## 四、貧しい生活の中に希望の光を求める

戦前の軍国主義教育の弊害と戦後の民主主義教育を比較することは、教育の現実を考える上で参考になるであろうと言うことである。

現代の生徒たちが、勝手気儘に席を離れるなど、全く考えられない学級崩壊である、と言われたり、

海外のメディアの日本の教育現場の報道によると「おしゃべりや手に負えない生徒たちの無秩序」がある、というが真実であれば、教育関係者は真剣に現場検証してその対策を練ることである。

戦前の教育現場でこのような行動をすると体罰されるのはもはやもはやこれまでと覚悟する。教師から叱られ指導されることは、天皇陛下から叱られていることを意味していたため、御喋りは全くない。針の落ちる音も聞える程に静かに教師の話に耳を傾ける態度が教室の雰囲気である。

戦前の食生活で主食となっていたのは芋類である。栄養価の高いカロリーの食物はなく、食料の乏しい時代には蘇鉄地獄と言われるように、全く栄養のない低カロリーの食生活で飢えを凌ぐ時代も戦前の沖縄の現実であったのである。こうした食生活の中でお米の御飯は、正月ぐらいのことに限られていて、日常的に米の御飯は、頭痛や腹痛のみの場合に限られていたのである。また、肉類も年間を通じて食膳に供するのは正月である。各家庭で豚一頭を潰し、残った肉類は約六カ月間貯える工夫として塩漬けにして、行事の際に使用するという習慣である。また、履き物らしい履き物はなかったので、一日の大半は裸足の生活となっていたのである。

しかし、貧しい生活であったが、当時の子どもたちは、日課として家庭の手伝いをしながら将来、陸軍大将になるのだ、という希望を抱いていたのか、生徒たちの学校生活で勉強の時間に楽しい一日を過ごしていたようだ。

## 五、なぜ家庭崩壊となるのか

戦後の著しい家庭環境の変貌に驚くのは、離婚率が高い水準をこえているということである。戦前の結婚条件として、戸主の同意が絶対的に必要とされていた。封建的家族制度が重要視されていた時代であったため、戸主だけではなく兄弟姉妹の意見も重視しながら結婚のために全神経を集中しなければならないのである。また、結婚成立後は、嫁いだ親族には忠誠を尽くす覚悟をしなければならず否でも応でも親元には戻ってはならないと強く諭されるので、離婚の選択には容易にできないのである。女性として生まれたならば、千辛万苦して耐え忍ぶ覚悟で結婚に踏み切る必要があったのである。離婚は、家族の不名誉になるため、嫁いだ親族には精魂をこめて協力することを教えられたのである。

戦前の法律（民法）にも、協議離婚の条文があるが、沖縄には無縁の規定になっていたのであろうか、結婚はしたものの「子産めない女は離婚すべし」と言われていたので、その場合には実際の問題として「追い出し離婚」に使われていたのであろう。

家族制度の下で家族の助け合いや夫婦間の愛情、親子との関係には非常に厳格主義であったが、その反面良好関係の絆が強く働き、大人になっても協力精神は継続していった、ということが言える。

戦後の社会状況の激しい変動の中で、両親の不可解による離婚によって「母子家庭」とか「父子家庭」とかの問題にもかかわらず子供たちが健全に育ち立派な社会人となれば、大変すばらしいことであるが、片一方の家庭環境で育てられると、社会全体で深い愛情を注がなければ、厳しい現実を乗り越えることに躊躇させてはならない社会環境が必要となる。

## 六、大家族の中の生活と現代少子化による過保護の子供たち

軍国主義徹底の国家政策としていた戦前は「産めよ増やせよ」の奨励をしていたため、兄弟姉妹六～七人以上の大家族が標準的な家族構成である。男児誕生の場合、親戚や隣近所の人たちが集まって祝福するが、女児の場合には全く祝福することはない。

妊娠中の男女識別は判断できない時代であったため、男女出産前まで区別せず、乳児には母乳のみで育てられていることから、授乳には親戚や隣近所の人たちが小回りが利くような温かい心遣いの社会環境での育児となっていたようである。例えば、母乳の具合が悪いと母乳の条件に良い熱帯産のパパイアを持参して母体の保護に気を利かせる支援態勢となっていた。

このように親子の愛情は、母乳によって育てるため、親や兄弟姉妹に心配をさせないという気持ちがいずれの子供たちの世界であった、と言える。

現代の授乳状況は、人工栄養が大半を占めていた一昔前の時代から、その育児方法の反省と見直しによって、最近では、母乳栄養を与える割合に増加していることを厚生労働省の報告となっている。

母乳中心の時代の特徴として不登校や問題行動になる生徒は皆無に等しいと言ってよいであろう。

更に言及すると、戦後の混乱時代に犯罪を犯す年代は、中高年層に多かったようであるが、現代は社会状況が混乱して複雑な方向にあるため、低年齢や高齢者層にも広がって犯罪が急増している犯罪王国になっているようだ。

戦前も生徒同士の喧嘩はあったが、現代のような悪質な嫌がらせによる「学校の建造物を壊す」とか「教師への暴力」行為による異常な学校の状況になっていることに教育行政の対策が迫られている。

極悪事件が絶え間なく起こっている現代社会で、特に女性は本能的に思いやりのある優しい性格であって「虫も殺せない愛情」があると評価されてきた。だが現代は想像もしない子供虐待による死亡事故の悲惨な時代に直面している。戦前の家庭教育で徹底した指導として「人を殺すな」とか「人の物を盗むな」に加えて「人に迷惑になる行為は許されない」と教えられていたため、刑法条文二六四条の中の二カ条のみで安心した生活環境で育てられていたのである。

## 七、お金の奴隷に屈しない人生観を考える

北欧スウェーデンの国家によると、資源の廃棄物の処理方法として、幼稚園の時代から塵芥（ごみあくた）の分別収集意識を教える指導体制による教育強化の内容により、現在ではその効果で国民も支障なく安定し

た分別をしていると言われている。

この例から理解するのは、金銭関係で複雑極まりないトラブルで悩む日本人は、スウェーデンのように物心両面に関心を持つ幼少時代から教育すれば、深刻な金銭トラブルも減少することは夢物語に終わることはないであろう。現代の子供たちに、親が小遣いやおやつを与えるやり方として金銭を持たせて好きな物を購入させる習慣がほとんどの家庭にあるようである。平均的比率として九四％の高い水準となっている。金銭感覚が鈍く、かつルーズにならないか、非常に気になる現代的問題の一つに数えることができるようである。

戦前の家族制度の下で育った時代と違って現代は少子化現象による過保護になり、その反面親に甘やかされて育てられているのか、その指導も曖昧になって勝手気ままな行動をする子供たちが増加していることも事実である。時代は急速に変化して複雑な社会になってもそれぞれの子供たちの持っている純粋な感情は、世界共通であるので、どういう方法で純真な子供たちを成長させていくのか、教育行政と地域住民の役割の連携を築くことができなければ、机上の空論に終わるであろう。

子供時代に純真な感情を歪めているのは、金銭問題にも関連して、深夜徘徊や飲酒喫煙などの悪環境を掃き清めないと子供たちの良好な育ちや将来の健全な社会を築くことも困難である。

現代の民主的資本主義社会は、商業趣味的な意識が強く、金が儲かりさえすれば「人間の命よりもお金が重要だ」という感覚を抱いている人間がいる以上、生きる力を失う現象である。現代は更に世界規模の経済活動になっているので、すくなくとも子供たちの健全な生活環境を整備する必要に迫られている。大人中心の社会環境に終止符を打ち、子供中心の健全な環境に重点的視野を置けば、未来に明るい希望の光が輝くのは論を俟たない。それが不可能と言うならば「民主的資本主義は悪魔の経済的構造」を持つ危険な資本主義体制の仕組みになっていると言うことである。

教育行政も資本主義体制に支配された教育内容に忠誠心を持つのではなく、子供たちの教育にどういう影響を及ぼすのか、義務教育過程で、特別に金銭の使い方に指導をすることができれば、お金の奴隷に屈することない将来の方向として、成人してもその対応は困難を要しないであろう。

金銭貸借に関する功罪は、学習指導要領による教科書にはその対応の記載もないため、教師も重点的に指導することに消極的になってしまうのである。人生の中で、金銭に絡んだ紛争で不幸を招いている人が多く、また、自殺者も増加している原因は、金銭問題が圧倒的であるのは拝金主義社会になっていることがこの種の事件になっていることは言うも疎かである。

このような醜い金銭に関する紛争から判断すると、金銭使途の善悪を徹底して学習指導要領の指導方針に、幼少時代から指導すれば前述したスウェーデンの分別意識の実が結びついているように、金銭に関しても同様に健全な社会になり、事件も皆無になるであろう。

西洋の諺を引用すると「魚一匹を与えれば、一日の食糧を与えたことになる。しかし、釣り方を教えれば何千年もの食糧を与えたことになる」というこの俚諺（りげん）には、現代社会に重要な課題を提供している。

幼年期時代から、下衆の勘繰りにならない人間教育をすれば、平和で心豊かな生きる勇気を与えてくれる宝の島になることになる。

# 第二章　学童疎開の地獄の一丁目から終戦まで

## 一、夢と希望が奪われた少年時代

一九四四年（昭和一九年）になって、戦争が日増しに危険な状況になりつつあったことが身にしみていたことが的中したのか、奄美大島の近海（悪石島）で、敵の潜水艦による魚雷攻撃を受けて学童疎開船「対馬丸」が撃沈されたことを待機中の宿泊旅館へ伝えられたのである。

疎開の可否について、引率教師たちの三日間にわたる話し合いの結果、疎開児童の最後になるという結論になって、九月二日に出航する。

悪石島近海の通過中に、敵の潜水艦に追跡されて魚雷攻撃を受けるも、それを潜り抜け、万死に一生を得て無事鹿児島港に辿り着くことができた。

鹿児島の旅館の宿泊中、疎開地から受け入れの連絡が遅れて約一週間滞在して、ようやく許可がおりて宮崎県の真幸（まさき）村（現えびの市）に決定して、その地に到着したのは秋の始め頃であった。

農村では、霜の降る前に秋の実りの作物を収穫する季節である。疎開地の真幸村に着いて間もなく奉仕作業に当てられたのは、この時期の協力義務は「麦踏み」であった。沖縄の農業にはないこの作業が理解できなかったので、農家の人に質問すると麦の足腰を強くしておかないと、霜や雪が降ると実りが悪く枯れてしまうということである。自然気候への抵抗として「麦踏み」をして根元をしっかりさせないと収穫もよくない、という説明であった。

疎開地の農村は、あたり一面が田園風景で後方は連山が美しく、また川の流れも清らかで川辺あたりは沢山の羊が放牧されていて、豊かな自然環境の中での生活である。秋の季節になると、後方の山々でドングリを拾い、栗の実、柿など、秋の季節にふさわしい自然の恵みが自然の中にあった。のんびりとした長閑かな田園風景の生活環境に、戦争の緊迫感は微塵もない理想郷の農村であった。

疎開地の宿泊は、学校内の大講堂のような建物が男子児童の宿泊兼食堂になっていた。疎開地の生活が四か月も経過した頃から虱が異常発生し、それに悩まされたことである。宿泊寮の隣に温泉浴場があって、自由に時間を見計らって温泉浴を楽しむ日課になっていて清潔にしているが、虱の発生源が全く分からないのであった。服装は黒系統であったので、虱が襟元を這い回っているのが即座に目につき虱を取る生活が続いた、いわゆる「虱潰し」が日課となっていた。

しかし、集団生活をしていると自然発生するのではなく戦争終結後にその情報として、米軍機による虱発生の原因となる空中撒布よるものではないか、という証言である。

疎開地での生活も漸く落ち着いた三か月後から風雲急を告げるように、戦争の状態についての情報が流れるようになってから上空を小さな虫が飛んでいるように米軍機が幾重にも編成を組んで北の方向へ飛行することが観察でき、戦況は緊迫していることが感じられたのである。また、食糧事情も一段と悪化の一途をたどりつつあり、日常の食生活に出される食事の質量の変化にも戦争の激化をたどっていることを認識することもできるようになっていた。

学校に登校しても授業らしい授業はなく、出欠点検のみをして教科書による授業はなく、そのうえ学校全体が息苦しい雰囲気であったので、休み時間になっても運動場で遊ぶ生徒たちの姿もまばらである。

いろいろな状況判断から戦争の足音が近づいてきて暗い影を落としてきたため、長閑かな農村地帯にも噂が立ち始め、鬼畜米英兵が沖縄かそれとも宮崎の東海岸へ上陸するのか、その状況に錯綜して教師や生徒たちも精神的に落ち着きもなく、心の動揺に身を以て感じられるようになっていた。

農村一帯が戦争一色に塗り潰されようとしている最中に、児童生徒にも動員厳命が下されて、朝から夕方近くまで都城（宮崎県）の飛行場建設の奉仕作業に駆り出されたのである。この動員により、ますます戦争の緊張感が高まってきたので、その作業が終わったかと思われたが、疎開寮から数百メートル離れた神社の境内を利用して、疎開児童の避難壕を掘る作業へ取り掛かるが、疲れも感じないのである。

次に待ち構えていたのは、宮崎海岸へ上陸した場合、その対策として鬼畜米兵を竹槍で殺す準備のためには「竹槍訓練」が必要であるということで、その練習に余念が無い日々が続いていたことを記憶している。

夢と希望を奪った軍国主義教育時代の疎開児童が、不安と恐怖にさらされた経験を再び子や孫の時代に繰り返しをさせないためには、「戦争のないように祈る」と願うだけでは、野蛮行為の戦争を阻止することはできない。過去の悲劇を繰り返をさせないためには、憲法前文に規定されている「……われらとわれらの子孫のために（中略）、政府の行為によって再び戦争の惨禍が起こることのないようにすることを決意し……」たことに注視して「政府の行為」の動きに監視することが平和への道である。そのためには、国民的抵抗精神に基づく抵抗運動でなければ、戦争の悪魔根性を阻止することができないのだ。

沖縄から全国民へ平和に生きる人権確立に抵抗の力を結集して、独断専行攻めの「忖度政治の野望」を阻止する魂を訴えなければならない。何故ならば、県民の心情として民主主義精神に基づいた「命が宝」は、永遠に脈々と心の底にながれているからである。

## 二、悪性遺伝子のいじめに抗する

疎開児童四七名の食糧確保の困難と宮崎海岸への上陸を想定しての避難のために、再び親族を頼って武雄市（佐賀県）に移転することになった。国民学校五年生であった。

学級担任は遠い沖縄から疎開して来たことを簡単に紹介したが、級友たちはあまり関心を寄せることはなかったようである。

一学期の半ば頃から学級の雰囲気が急速に変化しつつあったのは、複数の不良グループの生徒がいて私に差別的、軽蔑的な暴言を吐いていることを担任教師も知っていたにもかかわらず、生徒間の集団行動の不良行為には積極的指導態勢はなく無関心であった。すなわち、転校生への特別な配慮はなかったのである。

現在の教育現場で、問題行動の生徒が発覚された場合、その対策として種々な教育相談機関があって未然に防止する対策や発生後も指導し改善されるが、当時の社会には相談機関もなく、戦時体制下の報道は、大本営発表による戦況だけであったため、学校現場に目を向ける余裕などは全くなかったのである。

日本人は本来、個人的行動は消極的であるが、集団行動になると態度が豹変する国民的悪性根性を発揮する民族性を持っている。その具体例の一つに、最も辛い思い出に戦時下の当時の沖縄に対して、学級の不良グループたちが盛んに差別用語をいくつも使っていたことに驚き桃の木山椒の木になったのである。典型的な差別用語として「支那人、チャンコロ」に「チョシナ」と言った早口でまくし立ててくるのである。

また、食物についても不思議そうな言動で「何を食べているのか、イモかソテツか」と繰り返し聞くこともあるし、更に頭上に荷物を乗せて運ぶ女性たちの姿に「野蛮人だ」と言って睨みつける不良グループたちもいたのである。

このようなことを思うにつけ、学級の不良生徒たちが沖縄の生活習慣を詳細にわたって知っているのは推測であるが、その親たちや地域住民から差別的意識として日常的に、間接的に耳に入れていたのであろう。そうでなければ、問題行動の年齢層には情報を得ることは不可能である。また、当時の軍国主義国家は「三猿」の社会情勢が浸透していたので、日常的な会話から悪事千里を走るように、悪性遺伝子的に記憶していたのであろう。

こういう差別用語の知識の源が不明であるならば、日本人は本来歴史上、先天的に本能的に差別意識を持って生まれた民族国家であるということになるのだ。後述するように、戦後は差別意識の根源から発する「いじめ」の正体も、脳科学の研究の成果によって明らかになっている。

## 三、軍装を整った鬼畜米兵を目の当たりにして

不良グループのいじめ行動が一八〇度回転した事の経緯を説明するにあたって、最も重要な契機になったことを述べなければならない。

終戦直後（一九四五年一〇月）、佐世保港に上陸した米軍の軍用車両が、武雄市（佐賀県）の主要道路を通過していた時の出来事である。米兵が馬鹿げた笑いをしながら沿道に並ぶ子供たちへチューインガムやチョコレートを投げてふざけた笑い声でその情景を見下ろしていた。まるで飼い主が、動物に餌を与えるとそこに集団で餌を求めて右往左往している動物集団と同じ状況である。私は、その場面を米軍車両から約二〇メートル離れた場所から息を凝らして成り行きを見守っていた。

はじめて見る白人と黒人の異様な軍装姿と体格は人間のようには見えなかったのである。当時の軍国主義教育で徹底的に教えられた「鬼畜米兵」を目の当たりにしていると、それが重なり合っていたのである。第一印象は「化け物」という感じである。

「化け物」のような米兵が投げるチョコやガムには、毒物が含まれていないか、と疑問と餓鬼という

言葉を思い浮かべてこれを拾う子供たちと行動を共にすることはできなかったのである。

終戦直後の社会混乱が続く漫然一体となった状況の中で、まず第一に食糧確保が最優先の問題になっていたので、全国民は食糧を求めて隈なく農村地帯を走り回っている姿に世紀末を思わせる、頻返しのつかない恐ろしい光景を目の当たりにしていた。私たちも同様の体験に追い詰められていたので、約二〇キロも離れた親戚の農村に早朝、徒歩約五時間もかかって食糧を求めにいったが、その途中のトンネルで、「鬼畜米兵」たちが空中に向けて射撃訓練をしているような場面に差し掛かった。遠ざかったことを確認して薬莢と弾丸を数十個拾って持ち帰ることにしたが、その瞬間、学級の「いじめグループ」をやっつけるには薬莢に弾丸を込めて対抗するに限ると思い浮かんだのである。このグループは、相変わらずの行動に移そうとするので、直ぐさま薬莢に取り付けた弾丸を取り出して、グループの前に投げる構えの態勢に、豈図らんやさすがの不良たちも怖じ気付いて飼い馴された犬猿のような態度になって互いに睨みつける睨めっこの態度が続くようになっていた。

差別主義が原因となっている「いじめ」の暴言に抵抗できず、死の選択に走る戦後の青少年たちの精神的弱さに比較して、私は死中に活を求める頭を切り替えて、地獄の一丁目から脱することに決心していたのである。

その境地になっていたのは、沖縄の厳しい戦時状況の下で、生死に怯えながら生きている同胞や家族のことが気懸かりになっていたので、生き延びて故郷へ帰ることが大切であることを肝に銘じながら悪性遺伝子の「いじめ」に屈しない強い精神力があったからである。

## 四、民族解放に歓声が起こる朝鮮人

一九四五年（昭和二〇年）八月一五日の戦争終結は、武雄市で迎えた。一一歳であった。終戦直後の市内は、社会的混乱が急速に高まっていたので、市民には夜間外出禁止が発表されたのである。その理由は、駅構内と周辺に朝鮮人（現在の韓国と北朝鮮）が集結して危険であると言うことであった。私は、気に掛けることもなく住居から目と鼻の間の位置にある駅の前の広場に大勢の朝鮮人が大歓声で叫ぶ様子を眺めていた。近寄って耳を澄まして聞くと「われわれは自由だ。日本から解放されたのだ。朝鮮人万歳、万歳」という感動的な場面に直面して思わず涙ぐんだことを記憶している。

当時は沖縄人も同じ境遇にあったが、差別を受けていることを信じてくれないと思って喜びを共にする気にはなれなかったのである。翌日昼間に駅前に行くと騒ぎはないが、夕方になると類を以て集まるため、一週間以上にわたって夜間外出禁止である。

戦前の朝鮮人が歴史的屈辱を嘗めてきて、（約三四年間植民地）終戦と同時に「自由と解放」を叫ぶ民族意識の強さは、朝鮮と沖縄が互いに民族闘争を学び交流を深めて奮闘すれば「夢は必ず実現する」ことを信じ、断じて行えば鬼神もこれを避くため、諦めない民族と総精神によって未来に希望を抱くことが重大緊急課題である。

## 五、差別至上主義によるいじめは国家の責任である

前述したことをまとめて主張するのは、脳科学者の第一人者の中野信子の著書の中で、「いじめはやめられない」のは「国民的悪性遺伝」をもった病気であるから、遺伝の可能性がある、と明言している。それを証明したのは著者の主張する「ひとは『いじめ』をやめられない」のは、「いじめと脳内ホルモン」と危険な関係に立っているからであるという科学的に証明した見解である。

こうした科学的根拠は「いじめ」の集団の保守的政治組織の官僚政治権力者の中には、人間である以上、脳科学者の主張する「国民的悪性遺伝」をもった政治家の場合、その地位に置かないようにするには「伝染の可能性がある」と思われるため、その遺伝子のない人物を選択するには、いろいろな角度から情報を集めたり或いは医学的専門分野から検査する必要がある。悪性遺伝子を確認することが可能となれば、政界には不適切な人物であるから国民及び沖縄が悪政に泣くことはなく「国民的悪性遺伝子」のない政治家に政権担当をさせることによって民主主義に基づく信念のある政治活動になることは一義に及ばずである。

一昔前の政治家の発言には一語も聞きもらさない心のこもった宝石をちりばめたような黄金のことばに魅力があったが、現在は全く反対の現象が続いて危険極まりない悪魔のささやきになっているため、言葉に重みがなく刺のある危険性のこもった発言が余りにも多くなってきている。

この現実は、差別至上主義の「国民的悪性遺伝子」による「いじめ」が、益々現実味を帯びて人間を脅かす時代になっている証拠である。

# 第三章　椰子の実の流れ寄る珊瑚礁の島

# ネイティブアメリカの土地強奪闘争に酷似した辺野古新基地
## ――未来永劫軍事帝国植民地化を目指す米国民政府――

### 一、苛酷な運命を予測した終戦直後から辺野古まで

一九五〇年代の社会的重大事件は、日本国内で起きた「血のメーデー事件」である。皇居前の広場においてデモ隊の労働団体に参加した学生集団と武装した警察官との間で激しい衝突が連日連夜続いていた。特に一九五二年には、頻繁に衝突事件が発生し、多くの負傷者や死者もあった暗黒時代の社会現象である。社会状況が混乱しつつあったため、警察予備の保安隊を改組してその後は現在の自衛隊になった時代である。

外国の動きをみると、イギリスが初の原爆実験をして世界中に衝撃を与えている。米国はアイゼンハワ将軍が大統領に当選したのが一九五三年である。この二つの国家が原爆実験を繰り返すことに日本国民の不安が徐々に高まりつつあったことに関心が寄せられていたのである。

この時代の沖縄では米国民政府が、土地収用令を公布して軍用地強制強奪事件が次々と発生したのが一九五三年である。これを契機に沖縄全島「島ぐるみ闘争」へ向かったのである。

一九五四年にアイゼンハワ大統領が、沖縄の軍事基地を「無期限に保持する」ことを宣言して、沖縄に対する苛酷な軍事帝国植民地政策が強力になっていくことを予感していた。それは軍用地代を一括払いにして永代借地権を設定するという強権的植民地支配を暗示していたのである。

日本国内では第五福竜丸が、米国のビキ水爆実験により被爆したのがこの年である。南太平洋上に浮かぶ絶海の孤島での実験により世界中の人たちに、再び核兵器の恐怖を与えたのは計り知れない。

広島と長崎に米軍による原爆投下後、一〇年経過して日本人が水爆実験による悲劇に見舞われているが、日本全国民によるこの核実験に対しての反対運動の盛り上がりは低調であった。

戦後長期にわたって政治権力の座にあった第五次吉田茂内閣が幕を閉じ、次の政権担当の鳩山一郎内閣が成立したのは一九五五年である。鳩山内閣が成立して間もなく憲法改正に積極的な意思表示をしたために日本国民が警戒を抱いていたのである。

戦前の日本帝国憲法の下で、国民（臣民）の権利保障が著しく犯されて人権無視の続いた時代に終止符を打って、平和憲法の下へ全国民が歓喜に溢れている最中であるのに、憲法改悪の動きは神経を苛立たしい思いに駆り立てた。

外国では、ラッセル＝アインシュタイン宣言によって核戦争の危機感を各国の首脳たちに警告し、それが原因となって日本国内では第一回原水爆禁止大会が開催された意義は大きかったが、その後の運動の成果は低調なものにあったのである。その原因は、この組織も分別し、組織による運動も弱体化になりつつあったからである。

戦後七三年経過した現在は、過去の活動が全国民に訴える原動力が弱くそれを引き継ぐ団体や組織力も低下し、現在ではその痕跡をとどめることになっていない。現代の若者たちの政治的悪化状況に対する無関心が影響していることにその原因があるのであろう。

一九五〇年代から時間の経過と共に一触即発の危機にあった国際情勢の混乱を乗り越えて七〇年を辿ってきた二〇一九年の現在の状況は、保守的大国を目標にした軍事大国へまっしぐらに舵を取る政治体制であり、その行方に暗雲が立ち籠めている。その証拠は、二〇一八年度の軍事予算の報告によると、この五年間の予算として二七兆円の国防費が計上されていることである。

その他の内訳をみると、海上自衛隊の護衛艦を改修して航空母艦にしたり、中国をにらんだステルス戦闘機の購入に加えて大陸間弾道ミサイル迎撃システムの配備がその証拠になっている。

保守的官僚政治権力者たちは「空母」の改修は、攻撃型の保有ではないと断言しているが、時の経過に従って軍事政策の拡大解釈の真相を隠蔽している事の成り行きに注目しなければならない。その「航空母艦」こそ、戦争準備に欠かせない最大級の武装になることを国民は知るべきである。軍事大国に進む政治的状況に、国民のあれよあれよという間にどこまで軍事力を増強するのか、その予想には容易に判断できるのだ。

こうした危険な軍事増強になると、もう一つ懸念を抱く問題として、国民の切実な願望にしている北方領土問題を思い浮かべるのである。日本とロシアが平和国家侵略不可侵条約を結び「日米安保条約」を破棄して、平和独立国家に目標を定めて平和憲法を擁護し、国民が安心して暮らせる国家の進路に舵を取るならば、無条件に北方四島を返還することが平和へ進む最良の選択肢である。

この四島を返還すると、危機的状況になった場合、米軍事帝国植民地主義の軍隊が、日本全土基地方式を盾にとって無造作に軍事訓練を繰り返ししているので、北方領土も軍事基地の侵略基地として、自衛隊も参加して軍事訓練と侵略基地として使用されるのは、一目瞭然となっていると言うことを認識すべきである。

更に軍事大国に拍車を掛けて、沖縄県民の切実な願いを込めた「建白書」と「民意」を虫けら同然に見立てて名護市辺野古の陸と海を埋め立てて新型の巨大な日米軍事帝国植民地基地になった場合、昼夜を舎かず日米軍事演習が行われることに注目しなければならない。

悔いを千載に残さないためには、この過ぎ去った七四年の日々を振り返って、辺野古の日米軍事帝国植民地基地断念に追い込むことが、軍事大国を食い止める契機になることを認識しなければならない。

「誇りある豊かな沖縄」の未来を保証する根源的要因は、若者の命の魂が響く光り輝く未来の果てまで希望の星の輝く星空を目指して沖縄の平和を築くことに努力することが美ら島の沖縄の本来の姿である。

## 二、米軍の土地強奪に抵抗する学生たち

一九五五年から「銃剣とブルドーザー」で土地を強制的に接収する伊佐浜（現在の宜野湾市）の住民を路頭に迷わせて軍事植民地基地を拡大していく米軍事植民地国家は、沖縄の人たちを動物と見立てて軍事基地に適した土地を次から次へと強制接収している。

これまでの一連の強制接収に対して「琉球大学文芸部」の学生が中心になって抵抗運動を強力に推し進めていったのである。中心的な役割を担う七〜八名の学生たちが、琉大構内で闘争に参加するように呼び掛けて何度も抗議集会を開催したのであるが、これに同調して多くの学生たちが怒り心頭に発して参加していたのである。集会に不参加の学生たちは、闘争に参加したい強い意志はあったが、当時の琉大は「植民地大学」というレッテルが張られていたので、米軍植民地政策に抵抗すれば、どういう処分になるのか大学当局をはじめ学生たちも当時の民政府の態度が「鬼より怖く、帝国植民地権力が根深くとぐろを巻いて居座っている」という意識があったのである。全員で参加しないと、沖縄全域にわたって土地強奪を繰り返す危機感を学生たちは認識していたのは事実であった。だから「文芸部」の学生たちの抵抗集会の呼び掛けに応じて積極的に参加するようになっていた。

集会には参加していたが、伊佐浜の現地闘争には行動を共にしなかったのは、交通機関による不便さが災いをもたらしていたからである。当時の大学当局も、学生の抵抗集会に神経過敏になっていた原因には、鬼も欺く民政府の圧力主義に恐怖感を十分に噛み締めていたようである。沖縄の唯一無二の最高学府の琉大に、圧力を掛ける植民地政策の教育支配による重圧がひしひしと感じられたのである。

伊佐浜土地争奪戦に抵抗し、それに対して抗議集会を呼び掛ける学生に、民政府は「反米教育を行う大学生の存在は認められない」という強硬姿勢である。また、学生たちに対する大学当局の取り扱い方と米軍事植民地国家の民政府の主張する除籍処分の間には、雲泥の差があり、学問の自由を束縛する強硬手段で対抗していたのである。焦眉の急を告げる雰囲気が大学構内に流れていたのである。

伊佐浜の農民たちの豊かな農地とそこに住居を構えている住民たちの行く先も保障されないままに、軍事植民地難民になってしまったのだ。

世界の歴史に残る土地強奪摂取の無法な仕方によるアメリカ西部劇に登場する完全武装の白人兵たちが、父祖伝来守ってきたネイティブアメリカたちの土地強奪に対し、最後の最後まで諦めず勇敢に闘うネイティブアメリカたちの勇姿に沖縄の土地闘争の争奪戦に酷似している。

伊佐浜の土地闘争の前後に、すでに銘苅安謝地区（那覇新都心）、渡具地集落（読谷村）、具志集落（小禄）の銃剣とブルドーザーによる土地強奪があり、その最後も同様に伊江島（本部町）と続いて強制接収されたのである。

ネイティブアメリカたちの抵抗精神を心の糧にして、これからの沖縄民族闘争に向けて前哨戦の吉兆を占う前触れの時代になっている民族闘争の精神を誇りにして、時代の流れに即応する社会運動が必要となっている。

学生たちの残した抵抗精神は、今、日米軍事帝国植民地基地建設に向けて、新型の巨大軍事植民地要塞基地を辺野古の陸と海に異質の問題土石を投入する野蛮な軍事行為の対抗に、全県民が一丸となって抵抗精神で立ち向かえば、ネイティブアメリカたちの闘争に匹敵する力が発揮されて、二大国家権力者たちを地獄の一丁目に追い込むことができる日を迎えるであろう。

## 三、米軍悪魔兵による少女暴行殺人事件の怒り

米軍事帝国植民地の軍人による土地強奪事件ばかりでなく人間を人間としての尊厳に傷つける沖縄民族を動物のように見下げていたと思われる少女暴行殺人事件や傷害事件が続発している痛ましい社会環境に、一難去って又一難になることに危機感が漂っていた。

沖縄全島に深刻な衝撃を与えた事件が、一九五五年九月に発生した「由美子ちゃん事件」（当時五歳）である。犯人は、米軍事帝国植民地国家の野蛮兵による暴行殺人事件である。この事件を契機に頻繁に狂暴事件の発生する兆候があるため、沖縄の人たちに与える不安と恐怖心は余りにも大きかったのである。

こうした極悪事件に対しても一致団結した抗議行動が制限されていたので「泣き寝入り」になる犠牲を強いられていたのだ。無国籍状態の沖縄民族は、人間性が無視されて抗議許可も下りることもない自由束縛の怒りが沸き立っていたのである。それ故に、重大な事件、事故が発生しても無罪判決になることを誰もが予想できる軍事帝国植民地支配下における惨忍酷薄な悲しい時代環境の中の沖縄の状態になっている。

「由美子ちゃん殺人事件」に対して、米軍の高官は平蜘蛛のようになって謝ることもないため、軍事帝国植民地政策がじわりじわりと攻め立ててくる状況になりつつあったのである。事件、事故に対する抗議集会の意識はあってもその許可はなく、国籍不明の状況にあって人間無視を露骨に押し通そう

とする奴隷的支配下にあったからである。さ迷えるウチナーンチュに対する米軍事帝国植民地国家の無慈悲な支配が続くことに警戒しなければならないことに心が燃えていたのである。

由美子ちゃん事件から二〇一九年の現在までの七四年間に人間の生きる自由を根刮ぎ奪ってきた事件、事故が、日常的に多発しているため、怯える生活環境に置かれている。

しかし、これ以上の環境悪化に歯止めをかけようと士気高揚に目覚めたのは、悪魔の海兵隊による事件、事故に対して即座に、抵抗精神による抗議集会に参加し、最高潮に達したのは一九九五年九月の女子暴行強姦事件に対する最大級の抵抗集会がある。この事件に対する抗議集会は、人類の犯罪史上に記録される比類なき残虐行為に対峙するものとなっている。

一九七二年五月に、日本復帰して純粋な日本国民となったが、日本国憲法の保障する人間として生きる尊さを噛み締めて、毎日のように米軍事帝国植民地国家の悪魔の海兵隊の狂暴な犯罪が発生すると、県民が挙って怒りの抵抗集会をするが、これに対して判で押したような返事に「綱紀粛正」の軍事支配用語で言い逃れて、空吹く風と聞き流す潜在的な軍事万能主義国家の感覚で支配する露骨な軍事帝国植民地政策への足固めとなっている。

沖縄の人たちが安全で平和な生活をする最善の方法は、沖縄から完全に日米軍事帝国植民地国家の基地と共に軍隊をも撤去することに尽きるのである。ウチナーンチュが現実の理不尽な状況に目覚め、意識の変革により拳を挙げて意志表示をして行動に踏み切れば、完全撤去に大きな夢と希望を抱くことができるのは言うに及ばない。

ウチナーンチュの本来の未来像は、日常的に日米軍事帝国植民地にまつわる記事が新聞紙上に掲載されないことが政治的に安定した人間として生きる社会環境である。ウチナーンチュが、月と星を眺めながら常軌を逸した日米軍事植民地基地の環境から解放されて、平和に生きる行動力に身を入れると、天にも昇る夢心地になる喜びに浸ることになるであろう。

一九五〇年代には植民地大学という風評と八ミリ大学と罵られた琉大の学生たちによる米軍事植民地軍隊の土地強奪闘争に抵抗し、ウチナーンチュを社会抵抗運動に蒙を啓かせた抵抗精神の偉大な足跡に、その後の日米軍事帝国植民地国家の軍隊の引き起こす事件、事故に対して即座に抗議する変革の意識に、学生たちの築いた抵抗精神の歴史の教訓が力強く根付いていることを証明している。

日米軍事帝国植民地軍隊の事件、事故に対して、抵抗精神を身に付けて行動すれば、古川に水絶えず、次の世代へと受け継がれていくことによって、生きていく虹の美ら島になるウチナーの未来像になっていくのである。

## 椰子の実の流れよる美ら島　——基地のない島で美しい星座を眺める——

沖縄では五月の季節に入ると梅雨になり、これが終わる六月中旬頃になると、本格的な長い夏の季節の訪れである。

夏場になると、今年も隔日給水になるのではないだろうかという苛立ちがあって、そしてこの長い夏の期間を過ごすには、梅雨の降雨量によって決定づけられるのが沖縄の水事情である。復帰後、国や県のダム建設事業によって、水源の事情もいくらか好転はしたが復帰前後の四〜五年は、毎年というほど隔日給水が続いているので、憂鬱な梅雨の時期であるが、降雨量も例年以上にあることを空を見上げながら夜空の星を見詰めるのである。

沖縄では、五月の梅雨の時期を挟んで四月から六月の約三か月間は、県民には忘れることのできない季節である。四月二八日のサンフランシスコ条約によって本土と分断され、復帰までの長い期間に亘って、米軍事帝国植民地支配下におかれて人権を擁護するどころか、人権蹂躙の甚だしい環境におかれていた。復帰後は、それに拍車を掛けるように今度は日米両国によって、その状況は益々厳しい方向にむかっている。

五月一五日（一九七二年）は、全県民が等しく望んでいた本土復帰の月である。無条件全面返還を要求したにもかかわらず、復帰後の現在も米軍事帝国植民地主義の支配下で事件や事故の被害が絶えないのが現実である。

沖縄では梅雨入りと同時に、この梅雨空の下で、県民の平和への願いをこめて北から南へ向けて約一三〇キロの行程を「五・一五平和行進団」が本土代表者と共に沿道の県民へ平和の願いを訴えながら一週間の行進を続ける。この時点から更に悲惨な戦争終結の六月二三日を結びつけていくことによって、県民の平和を求める最も印象的な季節になる。

沖縄県民の抱く郷土への愛着は、紺碧の空と亜熱帯のサンゴ礁に彩る海の青さ、それに照りつける太陽である。沖縄を訪れる年間約六〇〇万人以上の観光客も一度は碧い空の下で、灼熱の太陽を浴びながら青いサンゴ礁の海で泳ぎたいという欲望にかられるようだ。毎年「海びらき」の前には、水質検査をしなければならないというほどに自然破壊による泥水が碧い海に流れこみ、サンゴ礁が死滅していく状況になっている。

復帰後は、復帰以前の空白を埋めるように道路や港湾、教育施設などの公共事業が、見違えるほどに現代的な基盤になっているが、軍事植民地基地政策による人権抑圧の状況下に置かれている現実の沖縄である。

沖縄県の総面積は、全国都道府県の中では四四番目にあって、東京都より少し広いというほどであるが、人口は現在一四〇万人にもなり、この中の約四〇%が本島中部地域に集中している。沖縄市は那覇市につぐ二番目の都市で、本島のど真ん中に位置しているため、交通はいたって便利の環境にある。その反面、極東最大級の米軍事帝国植民地基地があり、基地の重圧が最も大きい地域になっている。

沖縄の魅力の一つに、小笠原諸島と同じく亜熱帯の風土をもっていて本土とは天地の差があり、年中熱帯植物が青々と生い茂って観光客の目を楽しませている。こうした恵まれた風土であるので、昔から本土とアジア諸国それに太平洋上の地域との通商航海が盛んであったため、島崎藤村の「名も知らぬ遠き島より流れよる椰子の実一つ」という唱歌も、南の島々から北上して文化の流れを歌っている太平洋上に浮かぶ自然豊かな島である。

文化的にも重要な中継地として繁栄していた沖縄で日米太平洋戦争の地上戦が終結し、それ以来現在に至って日米軍事帝国植民地基地による「太平洋上の要石」として、戦略的な核基地になり、有事

（戦争）になれば、いつでも出撃できる体制であり軍事訓練が昼夜を舍かず繰り返されている。

昔から平和と文化の交流をしてきた県民の心には、アジア諸国の人々と連帯して友好親善を結び、碧い海や碧い空のように平和をも求めて止まない県民の感情があり、心の奥深く絶え間なく流れる椰子の実の流れよる人情の厚い人々が暮らしている美ら島である。

沖縄県民は、日米軍事帝国植民地基地のない美ら島に希望の光を求め、美しい星空を眺めながら、平和を求める沖縄の心である。

沖縄県民は、お金をちらつかせてお金が唸ると、権利を放棄する民族だ、と権力者に見抜かれてはならない。それは平和を願うウチナーンチュの心ではない。お金の弾圧を跳ね返し「闘う民意」で勝ち取る権利は、沖縄の歴史に民族の誇りとして未来永劫語り継がれていくであろう。

普天間基地の問題が浮上して、過去幾多の選挙で辺野古新基地反対の民意があれだけ示されているにもかかわらず、独善的悪魔の日米軍事植民地主義者たちは、一顧だにしない政治弾圧で誇り高きウチナーンチュの権利を無視し、剥奪することは不可能であることを肝に銘記することである。

既存の日米軍事帝国植民地基地の一部分が返還されたその跡地に巨大な商業都市が立ち並び、それを魅力に県外をはじめ国外からの旅行者の増加傾向にあって、経済的にも豊かに成長しつつある沖縄の現状となっている。

沖縄の経済成長は、日本経済を引っ張りだす力を持っていると経済学者が指摘している。その根底に復興最悪の阻害要因は「主要産業の観光などにマイナスの影響を与えているのが米軍基地である」と経済経営者の第一者の主張と同様に行政担当で実績を残している自治体の首長も「沖縄経済発展の阻害要因は米軍基地である」と言明している。

　このようにウチナーンチュの心を蝕み、環境汚染に無神経な悪の軍事的政治権力者たちを排除することが美ら島の沖縄の風景である。

　今世紀において偉大な政治的足跡を残した政治家翁長雄志知事が「県民の心が一つになれば、想像をこえる大きな力を発揮する」と残した名言は、後の世へと永遠に語り継がれてその魂を拠り所にしてウチナーンチュ、マキテーナイビランドーの精神力でウチナーンチュとしての誇りを発揮する抵抗運動に拍車を掛ける現実の沖縄の状況となっている。

　日米軍事帝国植民地支配下の巨大国家に抵抗するのは、ウチナーンチュは微力ではあるが、マキテーナイビランドー（負けてはならないぞ）という本来の抵抗意志で結集して闘えば、千丈の堤も蟻の穴より崩れるのであるから、無力ではないウチナーンチュである。気持ちを引き締めて環境と政治の浄化に心血を注ぐことが急務となっている。針の落ちる音が聞こえるような環境が、伝来のウチナーンチューの理想とする社会であることを忘れてはならないのである。

# 宮森小の惨事を永遠に語り伝える
## ――倚門(いもん)の望(ぼう)の遺族の悲しみと怒り――

### 一、政治的中枢を支配する軍事植民地政策の始動

一九五八年九月から軍票紙幣のB円に変わって米国ドル紙幣へ切り替えられて、その翌月から初のドルによる給料が支給されたのである。その時の管理者の教頭がドル紙幣の給料に満面の笑みを浮かべて職員に楽しげに話し掛ける場面が、時を越えて記憶に残っている。

ドル紙幣の給料を支給された時には、その喜びを表現することができず職員はその紙幣を眺めながら珍しそうな顔で微笑んでいたが、私にはその紙幣の給料は、米軍の軍事支配がますます強力になることを恐れていたので、喜びを表現することはできなかった。

米軍事植民地主義者たちは、隷属的に支配するには先ずお金のこと（銀行）から電気（沖縄電力）、水（水道局）の三つの重要な生活権を押さえておけば、いかなる抵抗も胡坐(あぐら)をかいて枕を高くして寝ながら強権的軍事植民地支配ができるからである。

当時の学校関係の管理者は、職員や生徒たちにも厳格主義の指導をしていたので、職員も伸び伸びとした雰囲気にはなかったし、生徒側は敏感にとらえる傾向があるからやはり職員と同じ雰囲気であったようだ。

学校全体を見渡すだけでなく、いつも外観に気をとられて行動をしていたことと、親米派的な立場であったのか、一九五九年六月三〇日の石川市宮森小学校（現在のうるま市）米軍ジェット機墜落事故の現場検証を申し出ても「米軍を刺激するから行くな」と拒絶されたこの一言が米軍の動きに気づかっている状況が即座に感じられていた。

これを証明しているのは、一九五六年の「プライス勧告」の骨子が発表された契機に「島ぐるみ闘争」へと発展し、更に強硬な独裁的軍事政策に沖縄が恐怖に身をさらされる「布令第一六五号」の公布に怯える社会になりつつあることがウチナーンチュのひとりひとりが肌に粟を生じるようになっていたのである。

## 二、断腸の思いで悲嘆の涙に暮れる遺族たち

特に宮森小の事故は、世界を揺るがす衝撃的軍事植民地支配による象徴的な事故となっているのである。こうした重大事故（児童死者一一人、重軽傷児童一五四人、住民死傷者六二人）でありながら、米軍事植民地支配者の発言は「(人口の多い）コザは危うく避けたのだ」とパイロットの功績を称賛するものであり、軍事植民地政策が心の根底に潜んでいるために、このような暴言を吐きだすのである。

墜落現場は、その翌日の新聞で知ることができたが、児童生徒の犠牲者の悲惨な姿は、見るも地獄そのもので目も当てることのできない現実的場面である。米軍事植民地支配による占領下にあって沖

縄住民の抗議行動も制限されている状況では思うようにいかない現実の沖縄である。軍事植民地基地の存在によって沖縄の未来にどれだけの不安と恐怖が追い打ちをかけてくるのか、それを想像すると身の毛がよだつのみである。

沖縄で米軍の事故が発生した場合、ハイレベルの操縦技術の高さを褒め称えることが主として述べられるのだ。軍事技術を誇る戦争に関するマシンの欠陥を主張せず、その事故の原因は「不可抗力」であったということで、一九五九年の事故から現在に至るまでそのことばで沖縄の人々を誤魔化している。「悪魔が細部に宿る」とこうした誤魔化しの軍事用語が使用され、沖縄には何時何時この現実に出会すかわからないのである。

沖縄に対する人命軽視として甚だしいのはこの悲惨な事故の損害賠償請求についてであり、米軍関係者の最終補償額として一人につき二〇〇ドルという結論になっていて、いったいその損害額には人間の尊い命の大切さを考慮しての立場からどういう考え方なのか、これが民主主義国家としての誇れる国家なのか、まさに軍事帝国植民地支配国家の実体が沖縄に推し進めているのである。

米軍事帝国植民地基地がなければ犠牲者はないのは当然であり、また、倚門の望の遺族たちの深い悲しみを全国民が自分の遺族の一員としての悲しみであると感じてほしいのだ。沖縄の人たちもこの悲しみを永遠に忘れることのできない悲劇になっていることを認識しなければならない。

米軍事帝国植民地支配下の沖縄に対する差別と弾圧を繰り返してきたこの国家への怒りと抵抗精神で抵抗運動を継続させ、諦めない強靭な意志で苦難の歴史的悲惨な事実に背を向けることなく、遺族の悲しみと怒りを沖縄のひとりひとりが心の奥に深く留めて共有すれば、米軍事帝国植民地主義者たちのひどい仕打ちを永遠に語り継ぐことにより沖縄の未来を創造することができるのである。

宮森小の惨事は、沖縄に米軍事帝国植民地基地がある限り、再び事故が発生することが予想される。不可解な基地の存在は、政治体制の異なる中国や北朝鮮を警戒しているため、沖縄の児童生徒の命などには、その惨事の発生したその日の事故として「遺憾だ」とわびるが、後は野となれ山となれで平気の平左で軍事訓練の繰り返しとなっている。沖縄を守るための言い訳になっている「脅威論」は、中国や北朝鮮の「脅威のためだ」と言って我慢せよということのようで、この「脅威論」は、毎日毎日基地に怯える沖縄の人たちが「脅威」の危険に身をさらされていることこそ中国や北朝鮮よりも米軍事帝国植民地基地の存在による事件や事故が、沖縄の最大級の「脅威」になっているのである。米軍事帝国植民地基地による政治体系の本質を知ることに神経を集中すべきである。その本質を見抜き理解できれば、その「脅威」という恐怖政治の真実が理解できることになる。

## 三、伝統組踊にのせて未来につなぐ

この「脅威」を物ともしない宮森小の惨事を永遠に記憶に止めておく方法としてどうすればよいのか、ここで立ち止まって考えてみることにした。

それは『「ひまわり」』を愛する幼い少年の夢も少女の未来も一瞬のうちに奪われてしまった」復帰四〇周年記念作品「ひまわり――沖縄は忘れない、あの日の空を――」に沖縄の人々の心に深く刻み込むことを願って映画化しているということである。

また、次の世代に語り伝えるには、米軍事帝国植民地基地がある故に起こった悲劇を、沖縄の伝統組踊と同じく米軍機事故を題材にした舞台劇「フクギの雫」を発表することは、この悲劇に見舞われた現状を忘れることのできない現実的な舞台劇となっている。

未来永劫、この宮森小学校のジェット機墜落事故の悲劇を伝えるもう一つは、伝統的組踊「執心鐘入」のように、戦後の組踊「仲よし地蔵」の名称にして沖縄の悲劇の遺産にしていくことが痛ましい事故の犠牲者となった児童生徒たちを弔うことになるのである。そして前述した中国春秋時代に由来している「倚門（いもん）の望（ぼう）」は、母親が自宅の門に寄りかかって愛する子供の帰りの連絡を、今か今かと待ち焦がれる境地と同じ状況にある遺族たちに、哀悼の意を表わすと共に再びこのような惨事が沖縄の子供たちの生命を犠牲にし、脅かすことのない平和な社会環境を創造することに努力しなければならない。

## 四、倚門の望から脱する世の中へ

毎年やって来る宮森小学校の悲劇の日を忘却のかなたへおしやることはなく永遠に県民の心に奥深く刻み込まれて語り継がれることである。地球上に生きとし生ける物の生命の尊さが、動物の世界にもあることを次の場面を思い浮かべることによって、消え去ることはないであろう。

戦後から今に至るまで、沖縄の児童生徒たちが狂暴な米兵によって尊い命を絶っていることを目前にしてきた現実に、子を思う親をはじめ県民のひとりひとりが怒りと悲しみを持ち続けている。

その場面を象徴しているのは、ＮＨＫの「地球ドラマチック」の放映で、野生の豹が子育てする母性愛の映像場面に、宮森小学校の悲劇が映し出されているのである。母親の豹が狩りに出ている間に、巨大な錦蛇が子供の豹を飲み込んだのはこの蛇だと察して、子供を取り戻したく闘いを挑むが、藪へ逃げる錦蛇を追いかける母親の豹の執念に屈して、飲み込んだ子供の豹を吐き出すのである。そして母親の豹は、死んだ子供を食わえてその死を忘れたくないのか断腸の思いで愛する死体を食べてしまう。

この記録は、カメラマンが一七年間追い続けたドキュメンタリーの作品となっている。その感動の記録には米軍事帝国植民地軍隊の行動が、沖縄の幼い児童生徒たちを錦蛇のように物色している米兵の動向に怯えて生活している県民の感情や宮森小学校の不幸が重なっているということである。

宮森小学校の遺族の悲しみと怒りを、子育ての感動の母性愛に溢れた野生の豹のドラマチックな場面と同様に、ゆく川の流れは絶えることなく永遠に語り継がれることを心に深く刻み込みながら日米軍事帝国植民地基地撤去へ粘り強い精神力を持ち続けることにより再び悲劇の島にならない諦めのない強固な意志を持つことが重要となる。

沖縄の人々が「倚門の望」の社会にならないように、健全で平和な社会環境にすることが、生きている人間の責任と思わざるを得ない現実の沖縄の人々の心でなければならないことの重い問いを投げ掛けている。（註）石川市石川の宮森小学校は現在のうるま市

# ひめゆり学徒隊と共に ――生死の狭間をさまよう乙女たち――

## 一、命短い人生を失った戦場の乙女たち

ひめゆりの学徒隊と共に歩いた一日橋の識名分室、南風原陸軍病院、第一外科と第三外科から最南端の喜屋岬までの爪跡には「戦争の悲惨さ、残酷さ」以外には言い換える言葉はない。学徒隊の体験したそれぞれの行き着く壕の状況は、残忍極まりない極限的環境の生き地獄である。それぞれの壕の生々しい証言は、聞くに堪えられない追体験後の精神的衝撃が脳裏に焼き付いて離れない。

それぞれの壕の悲惨な体験については、これまで見聞していた壕から壕へ移動していると、死臭がただよう泥の中を歩きながら死体を踏み分けて進み、その死臭と泥とが服に染み込んで歩いている途中の路傍には、両手両足のない兵隊が引き摺って歩いている路上の悲惨な体験の証言である。私たちが平和運動に携わる場合に日常的な問題としてどういう方法で参加するのか、その複雑な心境と同時にそれぞれの異なった体験者の証言をどう受け止めて沖縄の地上戦を通し平和運動へ参加していくのか、そのことを考えながら再び学徒隊と共に行動する。

沖縄で地上戦があったことを現代の若者の世代は、無関心で無関係の感情になりつつある。時間の経過にしたがって人々の心から遠い昔話として語り継がれ、同情論としてあるいは宿命論としてでは

なく、老いも若きも県民の心の中に深い悲しみの戦争として永久に認識させる社会環境を作り出すことである。

沖縄戦の「生き地獄と化した残酷さ、残忍さの極限的体験」を再び地球上にその惨禍を受けることのないように平和を求める県民の願いを余所にする日米軍事植民地主義の軍隊の軍事訓練が繰り返している状況に対して、若者たちは何を考えて平和を築く行動を日常生活の中で生かしていくのか、学徒隊の証言を聞きながら平和運動への参加を模索する。

毎年六月二三日（慰霊の日）に向けて特設授業で、小中高校生に平和への尊さを知っているにもかかわらず、自衛隊へ勧誘による入隊するのは平和教育の浸透していないという苛立たしい思いになるのである。沖縄戦について出版される本は膨大な数になっているが、自らの沖縄戦の追体験者としてすべての県民がその本を読み、平和への思いを行動に移す切っ掛けにすることである。平和運動が行動を伴って悪の根源と戦争の種をまき散らす「軍事植民地基地」を、県民のひとりひとりが革新に満ちた誇りある未来の沖縄の展望に感動できるように、基地のない美ら島に力を入れることである。

## 二、未来をみつめ未来に希望の光を求めて

沖縄に日米軍事帝国植民地基地の集中と米軍の軍人軍属の約五万人の駐留に加えて、公然たる機密主義をとる核兵器の貯蔵がなされているというので、沖縄の自治体が「非核平和宣言」を掲げているが、県民の心には平和への認識が不十分であることを痛感している。「核戦争になれば米軍も自衛隊

も県民もありません。運命をともにするだけだ」とか、あるいは「沖縄の学生は本土の学生より平和意識が低く安保条約や自衛隊を積極的に肯定する」現実的発想には、何としても日常的に平和教育への発想転換の必要性に迫られている。そうした意識の変革をしないと「非核平和宣言」も机上の空論になってしまうため、脳漿(のうしょう)を絞って計画を立てることである。

このように現実の認識に立って、沖縄戦の残酷さと不幸な運命を背負わされようとしている沖縄が、核戦争になると第一目標になっていることを、どういう連絡をとって平和教育を進めていくのか、切実な思いを抱きながら学徒隊と共に悲惨な第一歩を踏み出した南風原陸軍病院跡の証言に心を配るのである。

沖縄をはじめ日本全国で平和教育は低迷して風化の傾向にある。ひめゆり学徒隊の証言によると「当時の教育が国家に殉じる」ことが最高の名誉であり、かつ「私たちの教育のあり方が本当に国家に殉じることができるということで感激一杯」で看護隊として参加させられるときに握手しながら「しっかりやります」と誓って軍国教育をさせた「当時の教育の恐ろしさを今しみじみと痛感させられます」という証言に深く反省させられる。この証言によって、平和教育に求められているのは、過去の悲惨な戦争体験を「再び繰り返さない未来をみつめて未来に責任を持つ」ことに努力し、残忍な沖縄戦を通して人間が生存するための英知で、共有の遺産としなければならない。

世の中の移り変わりが激しく、桑田変じて滄海と成っていく沖縄の変貌も、南風原陸軍病院壕にも開発の波が押し寄せ、戦跡の名残の記憶も喪失することが危惧されるのである。記憶を喪失させないためには、この戦跡を平和を築き、戦争をさせない状況を詳しく説明する碑文を整備することである。

百尺竿頭（かんとう）一歩進めてその対策を立てるべきであろう。現在の碑文では、物足りなく戦跡としての訴える力は弱いからである。病院入り口の広場から裏側への三角兵舎への場面を「平和公園」にして、次の世代に継承しなければ、歳月と共にこの戦跡も遠い昔の出来事となってしまう。

残酷非道な沖縄戦も一場（いちじょう）の夢になりつつあるが、その風化の歯止めをかけるには一つの方法として、各地の戦跡に平和を認識し、その認識によって行動する人間になることが必要となっている。

## 三、命よ輝け希望に輝く星空を眺めて

一般的に日常生活の中で、戦争のできる準備として戦争に結び付くある種の芽を育んでいることが山ほどあると指摘されている。戦争の悲惨さのみを強調して、そこに至るまでの日常生活や経済活動において「戦争の種を育てている部分」があることを自覚する。核の軍事的脅威の時代に核兵器の認識なくては、現代の教育、経済、文化について日常性の問題として係わり合っていることを考える葦としなければならない。教職時代に就職指導の担当をしていた頃、指導方針として「軍需産業に繋がる企業」には斡旋してはならないことを掲げたことがある。軍需産業の企業に就職して武器を生産することに何の気無しに、日常的に育てられ感覚的に麻痺して企業に飼いならされることを自己責任において「日常性」という言葉を忘れてはならない。

現在は不況の波が押し寄せて就職も困難になっているため、若者の中には軍需産業でもいいんだ、自衛隊も国家公務員ではないか、兎に角金儲けをしなければ生活できない、というように自分の心や

行動にやましいところがないといった府仰天地に愧じずの感情で物事を処理する若者たちの考え方である。自分の行動様式が「戦争の種」を育むことになっていないか、という日常性の問題として真摯に受け止めることのできる人間でなければならない。現在の政治的方向には、軍需産業や自衛隊の問題だけではない状況になりつつある。社会環境が悪化しているため、青少年時代から相手の立場になって考え、相手の人格を尊重する人間に育成することが貧弱になってきている。具体的に言うと不登校の問題に加えて暴力行為も増え、「いじめ」の原因による傷害、暴行、恐喝、自殺等が小中学校で日常的に起こっている状況を、如何に健全化するのか、その対策にも問題があるようだ。

　こうした深刻な教育荒廃の状況が、どこまで進むのか、また、社会的にも教育的にも問題が起こっても「人間の生命の尊さ」を認識することのできない心の渇いた状況になると人を人とも思わない殺人行為が日常化するであろう。人を呪わば六二つの教育をすることである。人間軽視の行動すると、憲法前文に掲げられている「政府の行為によって再び戦争の惨禍をくりかえさない」ことができるのか甚だ不安となるのである。「政府の行為」とは何かその深意を把握し理解を深めていけば平穏無事に安定した環境になることを、青少年時代に徹底した平和教育で授けなければならない。憲法前文を屁とも思わない人間になることを警戒することである。

## 四、現実をみつめ光り輝く未来に向けて

毎日発行される青少年向けの雑誌類は、暴力行為を興味津々たる筋立てで、人命軽視の表現内容と

なっている。戦争に使用されるあらゆる種類の武器には、青少年たちの興味を誘うものばかりとなっている。それに拍車を加えるように、テレビ放映の番組では「戦争はかっこいい」と思わせるきな臭い非人間的成長の土壌が、日常的に無自覚的に子供たちの頭脳を蝕んでいる状況になっている。

とどのつまりは、興味をそそる「戦争ものコーナー」が設けられ、それに関する雑誌類が陳列されていることに驚いている。もう一つ無頓着になってはならないのは、お菓子類からシャツ、帽子、靴等の日用生活と密接に結びついてものが余りと言えば余りにも多い。こうした生活の土壌が「戦争を知らない青少年」に成長して狂気に結ばれるのである。

かつてアウシュビッツ捕虜収容所の責任者であったアヒマンは、家に帰ると良き父親として慕わしい人であったと言われ、また、クラシック音楽を愛する清らかな心を持った人徳があったという評判である。しかし、彼の非人間的に狂気になった行動には、日常的な生活の中で日頃培ってきた力を思う存分発揮されたのである。

異常が正常ではないかと錯覚する現実の社会環境を改善するには、平和教育で「和平を守り真実を貫く」人間形成こそ、最も重要となっている。ひめゆり学徒隊の悲劇を再認識するための戦跡巡りをし、原点に立って核時代に生きる人間として過去と現実を認識しながら、平和教育を目指して努力しなければならない。

## 窮鼠却って猫を噛む教師たちの抵抗

### ――教公二法案廃止に闘いを挑む――

一九六四年の東京オリンピック開催で、日本本土はじめ沖縄においても、新聞・テレビで報道されて世論が沸騰していたが、教育危機に結び付ける「教公二法案」（地方教育区公務員法、教育公務員特例法）の意図は深刻な教育現場への労働運動の弱体化を狙っていたので、沖縄の教職員と共に一般住民も一丸となってこの二法案の成立の反対闘争に参加する勢いであった。

この法案を成立させる目的は何か、ということである。保守政権下の教育労働者の組織力は強く、沖縄の政治的主導権は教師側にあったので、保守的政治家は教師組織の政治活動に対し、偏向教育を警戒して生徒たちにも教師の味方になるような人間を教育すると、政治的危機にさらされるということで「教公二法案」を立法化しようとしたのである。

この法案を可決するという当日は、すべての組織労働者団体も教育労働者の組織に参加して阻止行動に立ち上がったので、機動隊が立法院（現在県議会）の出入り口にバリケードを幾重にも築き、侵入を防ぐ態勢をとっていたが、勇み立つ怒りの拳が最高潮に達して機動隊を牛蒡（ごぼう）抜きに排除した前代未聞の出来事であった、と言える。窮鼠却って猫を噛むと言った立場の教育労働者の抵抗運動となっていたようだ。

保守的政権下の沖縄は、鬼のような高等弁務官（キャラウェー少将）と米軍事植民地主義者たちの後押しもあって、沖縄住民の政治活動から離れつつ次第に右傾化していく状況にもなっていた現実があったのである。

保守的政治行政による立法化に踏み切ろうとする教育弾圧の法案の成立に対し、教育的危機の深刻さに全労働者たちが抵抗運動に参加していた。

ウチナーンチュの誰も彼も政治的にも教育的にも危機的状況を感覚的に認識していたので、沖縄の隅々の至る所までこの法案の恐ろしさを知ってもらうために、私も新聞紙上で抗議の表現として阻止声明という立場から「恐怖の魔術師」という社会批評を投稿している。

その抵抗の批評詩が、全国労働者の側に立って労働者のために出版活動していた「労働旬報社」の出版社の好意により、沖縄の現状に注目して教師の中から優れた作品を選び、この二法案への抗議を兼ねて全国の教育労働者に知らせる目的で「沖縄の教師の記録」を出版している。その影響により沖縄の教育労働者たちの教育活動が注目されることになっていた。

この出版本が発表された後には、教公二法案の立法化に向けて保守的行政側と教師集団との対立はますます激しくなり、この法案に抵抗する教師たちによる阻止行動の理由が、ウチナーンチュの心を揺り動かし、阻止行動の成功を収めたのである。教育史上忘れられない出来事になっているのは言うまでもない。

この抵抗運動を最後まで諦めない信念が、明るい運命を切り開く成功への道としての教訓となっているということである。この教育運動の抵抗精神の成果によって得た「夢は必ず実現する」という信念こそ、未来に明るい希望をもたらしてくれることを学んだ抵抗運動への指針となっていくのであろう、ということにもなる。

しかし、その成否は予断を許さない状況になりつつあった。一九六七年一月、高教組と沖教組が分離し、それぞれの組合の独立した組織体になって運動の独立性を発揮するようになっていたのである。それぞれの組織の運動は、社会の諸悪の根源に立ち向かう先頭を切る民主的教育活動として、沖縄の労働運動を先導するようにもなっていたのである。特に米軍事植民地軍隊の事件や事故に対しては、神経を苛立たしい思いになっているので、組織労働者の団体と共に団結力による共闘は、労働運動史上例のない注目すべき存在となっていたのである。

ところが、一九七二年の本土復帰後は、日教組の組織力も弱体化がすすみつつある影響で、沖縄の教育運動にも波及したため、権力闘争も下火の傾向になってきたのである。日本の教育行政は右傾化の方向にあるので、これからは権力の弾圧も激化していくことを警戒しているのであった。教育界をはじめ全国の組織労働者による権利闘争への抵抗も崩壊の可能性が強くなってきていると言うことである。

全国の組織労働者が、沖縄の「教公二法案」の廃止に全力投球した組織力を教訓にして、現実に目覚めて権力への意識闘争を建て直すことが先決問題となっている。

全国の労働者たちには抵抗精神で団結し、平和の扉を閉ざされてはならない。「ひとつになる情熱」によって、歴史学者の立証による「権力は腐敗する。絶対的権力は絶対的に腐敗する」ことを肝に銘じて前進するのみだ。

# 文学に何を求めるか　――現代作家は行動する――

ある有名な作家は「あらゆる文学作品は呼びかけである」と言っている。これこそ、文学論の本質を表現していると言える。このように文学が作家の読者に対する「呼びかけ」であると言ったのは、作家や評論家と言えども読者へ訴える力量はない。現代に生きるすべての人間が、歴史的、社会的状況の中に位置づけられていて、その状況に参加しているとすれば、それは一つの重要な意義を含んでいる。作家が、その時代の中に深く根をおろして時代の推移のために作成されている以上、ただ社会的現実を非難するだけでは保守的支配階級に味方することになってしまうのだ。

作家と名のつくものは、現代をいかに生きるべきかという問題に「社会参加の文学」から離れ、観念的にもとらえている作品も多い。この文章では社会的反響を呼んだ作家をとりあげてその問題点に触れてみることにする。そして、その作家がいかにして歴史的状況を認識し、人間はいかに生きるべきなのか、ということを実感的に「呼びかけ」ていて、否応なしに自分の時代と一つになって思い切った試みをしなければならないのかを考察することにする。その作家が、現代を象徴するフランスの代表的実在主義のアルベール・カミュの著書『異邦人』である。

カミュの『異邦人』が、現代の高校生や若者たちの必読書となっているのか、読書感想文の筆頭にあげられる根拠は、カミュがこれまで誰一人として書かなかった新しい型の人間かまたは現代の新しい型のヒューマニストとして、その思想を作品に登場させたからであろう。ここでは『異邦人』以外にカミュの作品を紹介しないが、それ以外の作品の底を流れている思想は、現代の社会や暴力に「不条理」の認識をもって、反抗するだけでは時代を生きる同時代の人間や社会的状況を解決することは不可能であるからである。

特に、沖縄で日米太平洋戦争が終結して、七四年の歳月が流れているが、依然として日米軍事帝国植民地支配下にあって抑圧され、差別撤廃主義が続いている現在も事件や事故が絶えない。問題発生すれば「抗議」と「要請」を繰り返すだけでは、カミュの思想的用語である「反抗」と同義語であると解釈せざるを得ないのである。あらゆる事件に対して単調な言語集団で抗議すれば固定化してしまい「歴史に譲歩」するだけであり、歴史的変革には消極的になってしまうようだ。

現代の激動の時代を生き抜き、平和的社会状況の新分野を切り開くには、実際的に、若者たちを中軸にした社会的抵抗運動が必要となっている。

ところで、カミュという作家は、二〇世紀で活躍した作家として知識人の証人と呼ばれて注目されてきたのである。この作家を度外視して二一世紀の文学は存在しないであろうと思われるほど新しい人間の生き方がある。戦後の若者たちへ与えた影響は余りにも大きく、且つまた「独りの人間の思い切った試み」にぴったり一致した作品となっている。

「作家は語る人である」と言われている。それればかりではなく、恵まれた環境にある者は芸術家としての仕事を完成する素質に欠けるとも言われるが、カミュの場合は完全に打ち捨てられた全くの貧乏で、暖を取ることさえままならぬ悲惨な家庭に育ちながら幼少時代から社会的矛盾や人生の不条理を人一倍に事の重大性を感知していたようだ。例えば、父親は、農家でブドウ酒の醸造の手伝いをしている労働者であったが、第一次大戦で戦死したため、母親が家政婦として稼いで子供たちの生計を維持していたのである。稼ぐに追いつく貧乏なし、という強い信念を抱いていた。その母親は、忍耐強く働き者であったのであるが、ほとんど聴覚と言語障害の境遇の中で生きる意欲に努力していたのである。こうした家庭環境に育ち、感受性の強いカミュは、人生の不条理を観念的ではなく、体験的に直感的にその事実を厳粛に受け止めていた。小学校時代には先生に可愛がられ、高等中学校へ進学できる奨学金をもらい大学へ進学することができた。学費の目途がまったくなかったので、アルバイトをやりながら勉強をし、卒業後は演劇に情熱を燃やして劇団を組織したり或いは共産党にも入党して政治活動にも活発な発言をして党の士気を盛り上げていく中心的存在であったのである。

カミュの故郷は、アルジェリアであるため、その自然の美しさから大きな影響力を受けて作品にしたものが数限りも無いのである。だから、貧しい家庭の周囲は、いつも暗く不安におそわれていてその上人生は退屈で単調な環境にあるが、海や太陽はいつも変化のない輝きに満ちているのに、人生の喜びや幸福は儚い希望に満ちていると感じていた。自然界の現象は感覚的な喜びを与えていても、いったん帰宅して日常生活に戻ると、そこには心の安らぎを求めることができず、自分の身の上に襲い掛かっている。自然は人間に対して冷酷で無関心であるが、そこから人間と自然との対立に不条理の体験の努力を積み重ねていくのである。

人間の宿命的な死の矛盾が、カミュには人生最大の不条理であったが、しかし人生には矛盾は付き物だからと言って、自殺を選択したところで不条理を全面的に解決されることはないと感知していた。したがって不条理を宿命として意識している限りは飽くまでも不条理として受け入れて積極的にそれと闘いながら生きてこそ、人間としての価値がある、と断言できる。人生は生きる意味がないから死を選択するのは、人生の敗北者であるからカミュとしては人生は無意味であればあるほど生きるべきだ、と考えた作家である。

このように、カミュは自殺志望者を徹底的に否定しているので、死刑による合法化された死罪や戦争による大量虐殺に反対する作家である。即ち、死刑反対論者であったと同時に戦争反対をも唱えた平和主義者であった、と言える。

ところで、この『異邦人』が発表された瞬間、主人公の生き方に「あれは馬鹿な奴だ、気の毒だ」と批評されたが、しかし、現代の若者が無気力で無感覚な生き方をしていると言われているのは、現実に蚊の食う程にも思われない生き方をしているのか、空吹く風と聞き流す風潮がある、と言えないだろうか。この作品が全世界に翻訳された時に賛否両論の文学論争として一年間も続いた国々が数多にのぼっていたのである。

どのような作品を好きなジャンルで読むにも、興味あるのは人間の生き方であるので、『異邦人』の主人公とは一体どんな人物であるのか、興味をそそられる人間の存在感があると言えるのである。

平凡な生き方に生きがいを見つける主人公ムルソーは、行きずりの理由のない通り魔的殺人をしてしまう。普通の状況では過剰防衛の過失致死罪で済んで死刑判決ではないが、検事として主人公の日常の行動を調査した結果、日頃から人生に何の興味もなく日常生活の全ての出来事にも無関心で「どうでもよい」といった冷淡で投げ遣りな態度で陳述するので、殺人にも関係があるのだ、と論告するのである。主人公の犯した殺人事件は、消して計画的ではなく、人間的にはまじめであったので、その生き方には平凡なサラリーマンといった温和な人柄の奥ゆかしい人であったのである。ただ主人公の人生観として人生に生きる魅力がなく、価値ある存在感の解決策を見いだすこともせず、自分の将来に何の期待も抱かない平凡に暮らしていくことを理想としていたのである。

現代の日本人のように立身出世主義に心血を注ぐ型の人間ではなく、生きる人間であれば関心を示すことにも冷淡に「どうでもよいのだ」と考えているので、なぜ殺人を犯したのか、と質問されても「太陽のせいです」と返答する外に何も持ち合わせていない。要するに、不条理の社会で、無気力、無感動、無関心で黙々と働く機械的人間の生き方しか求めようとしない人間である。

この主人公が「異邦人」と意識するのは、検事の強引な論告が陪審員の心を動かし処刑宣告をされてからはじめて「生とは何か」と考えるようになり、更に社会とか裁判がいかに無慈悲な存在であるのかを真剣に見詰めるようになってくる。また刻一刻と近づく処刑を目前にした主人公は、孤独な「異邦人」として短い生涯を精一杯生きることが最善だと考えながら最後まで一筋の希望の光の生きがいを見いだすこともなく生きているのである。希望のない社会であっても人間はいかなる方法でも幸福を追求していくように努力すべきだ、とこの作家は傷心の主人公を励ましている。

じめじめとした暗い独房で、希望を失っている主人公の運命は、それは現代の若者の運命とも言うべきものを象徴しているかのようである。そういう主人公が、現代人のある一面をも象徴しているので「奴は馬鹿で気の毒で無垢な男だ」と批評されたのだ。そして、現代の無意味な社会状況において、あらゆる不正や社会的暴力に対して反抗する主人公の人生観が、戦争体験のない若者層に多大な影響を与えたのであろうと言えるのである。

世界文学史上、話題となった『異邦人』は、現代人の不条理を体験し、個人的な反抗を試みた人間の証言と言える。それでよいとしても政治的暴力で人間の自由と権利を奪い、民主主義制度を否定するように、人権無視をして抑圧万能主義による軍事的、政治的圧主義を決行している沖縄では、反抗的人間の集団によって現代の資本主義社会制度を変革することも意義がある。マルクスの主張した印象的な言葉に「哲学者たちは世界をいろいろに解釈しただけである。しかし、問題は世界を変えることである」と主張している。

カミュの作家活動は『異邦人』発表後、緊迫した社会的状況に対する発言にも、歴史の外側に自分を位置付けて思想体系化しているため「反抗」という観念的闘争になり自ら「歴史を変革しよう」という積極性も失ってしまうのである。こうした作家的活動の変貌は、歴史の流れを変えることは不可能である。不条理な歴史を変えるには全精力を傾注して行動する作家が登場しなくてはならないのである。いかなる事情があろうとも、作家の価値を知り、同時代の人間として社会的状況に置かれているので、作家の危険な試みに全身全霊をかたむけて参加することによってその作家の「呼びかけ」に答えることができるであろう。なぜなら「われわれの関心はそれにふさわしい文学を与えるべく試みることにより文学に仕える」ことで、かつ作家は信念に燃えて「社会参加の文学」を目標とする根本的課題が問われているからである。

# 第四章

# 理不尽の沖縄から未来を考える

# 一本のエンピツで政治の流れが変わる

## ――生きる権利を主張し行使しよう――

### 一、喜びは泡のように悲しみは長河の流れ――

沖縄県民に対する日米軍事帝国植民地支配による差別主義の撤廃を、日本国憲法により守られることを県民は心に銘記して闘争の意識を高めることである。一九七〇年のコザ暴動を教訓に怒りの行動を身につけ、自由と平等の精神に基づいて県民のひとりひとりが政治の動きに関心を持つことが必要である。そのためには、政治や法律にも関心を高めて至る所で友人と議論を交わして政治的関心の環境を日常的に語り合うことにより政治とは何かという関心により選挙へ向けて棄権をしない選挙になる。一本のエンピツで政治の流れが変わることは言うに及ばない。

理想の政治家の条件には（1）人格的に優れた人物（2）政治目標の理想と哲学を持った人物（3）現実を即座に処理する政治能力を持った人物であると言われている。この三つを揃えている場合には当選すればきっと県民のために力を尽して正しい政治の方向へ進むであろう。

選挙戦には多大な選挙資金が使われるというが、例えば稲嶺恵一知事選で約三億円の政治資金が流れたと噂が立ったが、その後の保守的立候補の知事選では、いくらの資金の流れがあったのか実態は不明である。

選挙五原則（普通、平等、自由、秘密、直接）は、形式的な基本原則であり、選挙資金の投入で左右されることなく厳正な条件の下の選挙であれば、公平で民主主義の原則に基づいていると言えるのである。選挙資金に札束を積んで札束で横面を叩くようでは、感覚のない票獲得になり、当然に勝利すべき候補者が落選することになる。当然の結果が反対方向になった場合には、選挙に対する無関心の人たちが棄権するケースも増加するのは政治家たちの責任である。

沖縄県は全国的に最低水準の分野の種類が多い。例えば、学力低下、交通事故に関する飲酒運転、離婚と出生率の高さ、最低所得等数えるだけでも際限が無いが、その反面政治的知識を高めたり関心を持たせる政治的環境では全国的に高い位置にあると言える。だがお金で清き一票を譲り渡して、自分の思想の自由や表現の自由を行使することなく権利を放棄して愚民のような取り扱いをされて不幸になることを感得できない選挙人もいることも事実である。

この現実は、日米軍事帝国植民地基地の多い自治体では、しばしば問題になることが報道される。例えば、宜野湾市の市長選挙の場合、その期待感は県内では最も政治的意識の高い自治体の評価を受けていたが、今は是れまでと覚悟の上でその根拠も崩壊してしまったことが何れの選挙でも証明されているようだ。

例えば、マスコミの報道される前から悪魔機オスプレイの危険な機種であることと、米国内の騒音と沖縄との比較で沖縄の環境や騒音問題に氷炭の相違があり、大行（たいこう）は細謹（さいきん）を顧みない軍事植民地支配の下で、全県民が不安を持ち続けている中での投票になると、基地による轍鮒の急の境地になっても、経済や雇用問題に関心を示しているため、基地反対の候補者が敗北する結果になる虞がある。

　将来の沖縄の行く末に日米軍事帝国植民地主義者たちは、どういう軍事植民地政策をしていくのか、県民にはいささか不安を抱くのみである。

　選挙戦の焦点に関連して忘れられないのは二〇〇四年八月、沖縄国際大学の構内に軍用ヘリＣＨ46型の墜落事故が起きたことだ。全国民に大きな反響をまきおこしたため、県民のひとりひとりがこの事故の恐怖を身に浸みて受け入れているならば、普天間基地の撤去の意志の反映を選挙公約の第一に考えるべきである。県民はその事故を重点政策の一つに投票することの重要性を要望している。

　沖縄県のいずれの選挙戦においても、日米軍事植民地基地の現実を踏まえて選挙目標とすべきであり、それが県民の意識が低下して選挙の中心的争点から懸け離れての選挙に将来の沖縄の道標が不明瞭になっていくことに恐れをなすのである。選挙公約に、日米軍事帝国植民地基地に関する選挙戦が焦点にならないことが未来を想像するウチナーチュである。

　三原理を持った政治家としての本質的な存在感のある立候補者のイメージに、県民の政治感覚には脆弱な体質と基盤があるので、何を考えてどう対応するのか、県民の奥底に潜んでいる真意をつかむのは難しいのである。差別至上主義者のケビン・メア氏が、軽蔑用語で「沖縄県民は二枚舌を使う」と判断するのは、十中八九間違いないかも知れない。政治への無関心が選挙権の放棄にも結びついているため、県民を侮辱して見下した態度になっているのである。

　県民の政治的判断力に全く理解できないのは、その感覚が単純でかつ幼稚であるのか、また誰が政治指導者として優れた政治家なのか、その判断力が乏しいと言える。沖縄は、昔から人間性に富んでいると太鼓判を押されているが、その反面知識が低く馬鹿者も多く愚民と言われてもそれに対する抵抗精神もなく行動力もないため、ヤマトンチュから日本一最低で馬鹿な民族であるという見方をする者もいる。そういう見方を変えるには、県民のひとりひとりが、テーゲ主義の根性を徹底的に打ち砕く精神力を鍛えることである。人間的に優しさがあると評価されても、島国根性をもち梅根性をも持つ民族意識があるために差別意識のレッテルを貼られても平然とした感情で済ますようなウチナーンチュの根性を立て直す時代を迎えている。

官僚政治権力者たちが、県民に対する選挙のあり方の違法行為を指摘したり、あるいは旧民主党政権当時に環境影響評価書を、草木も眠る丑三つ時に搬入する態に対して、真剣に考え抵抗することを教訓にすることである。さらに付け加えて、官僚政治権力者たちの来県による軍事植民地基地の押し付けがましい態度といい、また沖縄防衛局長の県民に対する野蛮的な発言を聞くにつけ絶対に許容できないのである。その手口は「お金をやるから協力してくれ」と言ってお金で支配することを隠れ蓑にして、その本音は「理解と協力」を得るために有りとあらゆる手段を駆使して物質的に服従させようとする悪質な行為であり、それを感知して敢然と立ち向かって拒否する精神力が問われている。

官僚政治権力者たちが、日本国民として生きる重要な人権思想が保障されている日本国憲法の表現の自由と思想の自由さえ剥奪しようとしても、攻撃の手を緩めることなく力を結集して抵抗する行動になれば、県民を黙り込ませることはできないのだ。

ウチナーンチュの特異な才能をもつ民族性を生かして日米政治権力者の軍事的、政治的動向を具に観察し、人権侵害になれば、一丸となって抵抗運動に参加する行動力に渾身の力をこめて闘い続けることによって、沖縄の未来が輝く美ら島になるのである。

## 二、一八歳・一九歳の権利行使で腐敗政治を変える

公職選挙法違反が立て続けに発生している最中に、時の閣僚権力者の国土交通相が、市長選の告示前に支援依頼問題で依頼文書を確認しないままに署名したということが報道されたのである。大臣の下に署名を依頼した場合、その文書の内容がどんな種類なのか、それを熟読玩味せず多忙を理由に言い訳をして文書の宛名や内容をも読まず、秘書に促されて署名したのは、重大な責任を負わなければならないであろう。その責任の重大性を感じることをせず、職務遂行に専念する態度は全く幼稚な政治家の姿勢である。

学問を積み高い知識と教養のある政治権力者が、選挙人の運命を決する重大な選挙戦に関する支援依頼文書に目を通さないのは、国民には全く理解できないのである。国民のための政治であるべきことを政治感覚が身についていない独断的であり、人間性を失った政治家と言うことである。こういう政治的行為を「学問のある馬鹿は、無知な馬鹿よりもっと馬鹿だ」と言えないだろうか。こうした類の官僚政治権力者の中の無知なる馬鹿が「問責決議案」とか「内閣不信任案」とかを国会に提出される側が過去から現在に至るまで数限りも無いのである。

国会議員は、国民の代表者として重大な責任感を持って政治活動することにより国民の平和な生活

につながるのである。だが、この責任を問われることは、議員としての失格者になるので、この案が提出された場合には即座に辞任することで政治への信頼感を抱くのである。国民と同じく沖縄県民も、いつまでもその座に留まることを望んでいないので、政界に悪影響を及ぼすことを自覚して、永久にその地位を放棄することが望ましいのである。

旧民主党政権は、現政権の瑕疵を満点で継承し、その瑕疵（かし）を更に満点を越えて発展させることに無我夢中であったことを印象づけたと言える。その事実として、特に辺野古新基地問題を騙し討ちにあわせたことには、沖縄県民の政治政策に不信感が最高潮に達していたのである。

過去と現在の保守的政治権力者から完璧に脱出する新しい政党の誕生に県民の多くは期待している。その政党の新誕生として「オール沖縄会議」結成当時の主旨をもつ政治組織の団体の指導者が、将来の政治の方向性を決定する民主主義国家のあり方になることを期待しているということである。

政界に携わる政治家は、選挙人の信頼を失う政治的違反行為をして門前払いをされる状況になった場合には、自ら潔く辞任する意志を表明すると国民の政治への信頼と期待が膨らみ、政治への関心も高まって棄権防止と投票率もよくなることは確実である。

過去の事例を調べると、沖縄県民が最も腑に落ちない違法行為の代表格に、当時の真部明沖縄防衛局長時代に、選挙の前哨戦に沖縄弁護士会が指摘する数々の選挙違反をしているにもかかわらず、内輪のみで判断して違反行為は確認できなかったと言って処分されず再び元の鞘に収まってしまった例である。現在も処分術には変化はない。このように、政界の本質的な政治形態の絡繰りには、政治的に遺伝性が潜んでいるようである。

こうした過去の事例で、穏便に取り扱われていることに政治に対する期待感がなく、選挙の棄権率も高く当選者の当確も過半数という数字に疑問点があることに現れている。

日米軍事帝国植民地基地に関する選挙の多い沖縄では、この現実が露骨に表れるのである。日本の政治形態の真の姿を変革する自治体は、沖縄県民の政治への関心と行動力に関わっていると言える。

一九五〇年制定の公職選挙法の改正によって、一八歳・一九歳で選挙権が与えられたことに機を失することなく、自信と誇りをもって棄権せず、正しく権利行使をすれば、一本のエンピツで政治の流れが変わることを深く肝に銘じていると、世に裨益（ひえき）するところ大となって真の民主主義国家として諸外国から肺腑を衝く高い評価を受けるのは、言うに及ばないのである。

# 地に落ちたノーベル平和賞 ――この賞の権威が失墜しないために――

## 一、はじめに

世界最高の賞であるノーベル平和賞に異議を述べることは、勇気のいることであるが、民主主義社会で憲法一九条「思想及び良心の自由」の保障の下で、堂々と思い切ったことが言えるのは、民主主義制度として最高の価値であることを認識している。

人類に貢献し、その成果として優れた研究者たちに与えられた人生の憧れの最高の名誉ある地位であることは論を俟たない。その賞を授与される研究者たちは、長い苦難の研究の結果として、その賞に価する賞金を与えることは当然の褒賞として評価しなければならない。

文学、化学、物理、医学の分野の賞は、計り知れない研究の努力が実っての賞であるから、その努力と忍耐の研究への授与は、人類に貢献することで納得できる。長い苦難の研究が実り実って、その結果が人類の救い主となる功績は感動の一言に尽きる。

だが、ノーベル平和賞については、一歩立ち止まって考えることに意義があると考えるのである。

## 二、資本主義体制とノーベル平和賞

米国大統領のオバマ氏に授与されることは何を根拠に対象になったのか、全世界の人々が疑問視したことを想像する。大統領就任後の二〇〇九年四月、ヨーロッパの国で「核なき世界」を目指して核廃絶の演説をし、その内容が評価されたことがノーベル平和賞委員会での授与の理由としている。実績はないが、これからの世界は核大国の米国が、自らの意志で「核なき世界」を表明したのであるから、将来に向けて実現できるであろう、という未知への期待感に希望を抱いての授与になったのであろうと思われる。

それはそれにしても、核保有を廃棄し、それに並行して核製造過程の設計図と製造施設と共に完全廃棄しないと「核なき世界」は望めないのだ。完全に無の状態にすることによってオバマ大統領への授与に、世界の人々が納得するのではないだろうか。米国内の約九千発以上の核保有数を目に見える形で、世界の人々に証明して廃絶の一歩を踏み出すことになれば、そのノーベル平和賞の価値も評価されることになるのである。

オバマ大統領が世界に向けた演説内容に、世界の人々が一歩でも実行することへの期待感をその賞で「羊頭を掲げて狗肉を売る」ことなくその演説に責任を持って行動に移し、一一月（二〇一〇年）の訪日の機会に被爆した広島や長崎を訪問すれば、平和授与への評価が高まったのであろうと期待されていたのである。

そうした口先だけの実行に移せない表明をしても、被爆地の訪問もなく、九月（二〇一〇年）には世界を震撼させた予想だにしない「臨界前核実験」をしている。ノーベル平和賞も地に落ちたと言えるようである。

日本のノーベル平和賞受賞者の佐藤栄作首相にも同じことが言えないだろうか。沖縄返還について、日本復帰に「復帰なくして戦後は終わらない」と表明し、また「非核三原則」を主張したことにより受賞の対象者となったが、その背後には沖縄返還時の「機密」問題や復帰後の沖縄の状況はどうなっているのか。授与されたならば、その後国民や県民のために「復帰してよかった」と共感をもたせる復帰となって受賞の喜びと感動を受けていたことであろう。その受賞となった理由は、どういう根拠に基づいての受賞対象となったか、という感情を抱くのである。その受賞後の沖縄が、米軍事帝国植民地主義者たちによって生命、財産などが保障されてよい方向にあるということは微塵もみられないのである。

現時点から四九年前の一九六九年（昭和四四年）一一月、復帰三年前に当時のニクソン米大統領と佐藤栄作首相の間で取り交わした沖縄返還交渉に関する密約外交において、核抜き返還無条件の合意が成立している。それが現在（二〇一八年一一月）再び核持ち込みが有効であると報道されて、傷なき玉と思われていたが、図らずも沖縄を食い物にする密約主義に大きな衝撃を与えている。

米軍事帝国植民地主義者たちは「当時の密約は現在も有効だが、米軍の戦略は核兵器の使用を前提としないため、現実性はない」と否定的であるが、嘉手納と辺野古に核弾薬庫が存在している限り、いつでも有事（戦争）になれば、使用持ち込みの状況下にあるので、日本の独裁的官僚政治権力者たちが拒否しても核兵器持ち込みを断ち切ることは不可能である。両首脳の密約は、沖縄の基地問題に関し永遠に閉ざされた謎の扉になっているため、虎口を逃れて竜穴に入った状況の沖縄であることに警戒しなければならない。

復帰への期待感は、二七年間の長きに亘って米軍事帝国植民地政策による苦難の歴史から解放されると胸を撫で下ろしているのも束の間で、日本国憲法の下で自由自在に生きたいという気持ちが強い復帰への期待であった。しかし、復帰後は糅て加えて日米軍事帝国植民地支配による一髪千鈞を引く塗炭の苦しみが押し寄せてきている。

日米両首脳の核抜き返還交渉の密約主義は、悪魔の囁きで不幸な運命を沖縄に背負わせようとしている。呱々の声をあげると期待していたが、鬼を酢にして食う二大国家によって悲劇の運命の前に怒髪天を衝く抵抗精神で断固として排斥する精神で臨むことである。

「偽の平和の担い手」の偽善的平和主義者の佐藤首相が受賞した地に落ちたノーベル平和賞は、賞賛に値する千鈞の重みもないと言えるのである。

資本主義体制下の二人のノーベル平和賞の受賞者は、実績がなく評価も二分した状況の授与であるのは、ノーベル平和委員会も資本主義体制に血を啜る構成になっているのか、将来の展望に期待して他の受賞者たちの長い研究生活と実績とは遠く掛け離れた受賞となっているようだ。例えば、有名な漫画家が「佐藤栄作がノーベル平和賞をもらってから何も信じられなくなった」と皮肉っておりこの賞への権威が失墜してしまったのではないか、という主張と意見に賛同の意を表したい感情が湧き起こってくるのである。

## 三、社会主義体制とノーベル平和賞

その他にもう一つノーベル平和賞について理解できない不思議な現実がある。

それは一党独裁政権下で共産主義国家に抵抗して闘っているチベット宗教指導者ダライ・ラマ氏で、チベットに滞在せずインドへ亡命してそこを根城に中国政府と対峙している。

また、ミャンマーの民主化指導者のアウン・サン・スー・チー氏は、監禁状態で独裁政権に抵抗しているが民主主義を勝ち取ろうとする民主主義運動を評価して、ノーベル平和賞を授与されている。

前述の四名に加えてもうひとりの注目すべき受賞者として、中国政府から国家転覆扇動罪として服役中の作家の劉暁波氏にノーベル平和賞を授与したことが、話題となったのである。日米の首脳の両者は、民主主義国家と資本主義国家体制に溶け込んだ意識の変革によるが他のひとりは共産主義国家体制下で国家転覆運動の指導者であることに注目されている。しかしこのような指導者たちの抵抗運動が、国家体制を揺るがして抵抗運動の目標に近づき、国家が反省してその受賞者たちの要望に応じているのかと思えるが、そうではなく畳の上の水練に終わっていて、その成果は何もない。

この五人の受賞者の中で、特異な存在となっているのは中国の民主活動家の劉暁波氏で受賞が決定したことに異様な感情を抱くのである。彼は、重罰刑に問われた服役中の受賞となったから異様と言える。その授与の理由は「長年、中国で基本的人権の確立のため、非暴力的手段で闘ってきた」のが、その主な理由となっている。共産主義国家で基本的人権のために闘ってきたことは、資本主義国家からは異常事態であると受け取るのである。

劉氏が、国家体制を揺るがす国家の根幹にかかわる犯罪者としての罰による授与となれば、中国政府は腹の虫の居所が悪く、怒りの声明を発表するのは当然であろう。また、中国政府のこの賞に対し「賞の趣旨に完全に背いており、平和賞に対する冒涜である」と強い口調の抗議声明を発表している。その賞に対する率直な声明であり、その賞の委員会の構成員は、その声明に耳を傾けて平和賞の受賞者の選定には慎重に対応すべきである。

ノーベル平和賞の委員会の構成委員は、首相経験者で政治的経験の知識をもつ五名で組織されていることを想像すると、資本主義体制国家と共産主義体制国家の下で、人権確立のために抵抗する指導者たちを識別してその対象の受賞者を選んでいることに疑問を抱くのである。

共産党支配の政治体制を批判した劉氏への授与になった経緯は、北京師範大学講師の時代に封建制度を批判し、更に米国の大学滞在中に資本主義体質を骨の髄まで浸み込ませ、その精神状態が中国政府の共産主義体制を転覆させるという強力な批判になったのである。彼が「黒い手先」の思想を築いたのは、米国滞在中に強い思想の武器を身につけたからである。中国政府が、劉氏を要注意人物としてその行動に警戒心を持つのは道理に適った声明文の発表となったので、授賞式に出席拒否の措置をしたのは中国政府として当然の国家的行動となったようである。

ノーベル平和賞は、オバマ大統領や佐藤栄作首相の受賞には実績も曖昧であるにもかかわらず、平和委員会は資本主義国家の指導者が特異な演説をすると、いかにも世界を揺るがす出来事のように感じるのであろうか。受賞後の佐藤栄作首相は、沖縄が希求して止まない平和的人権思想の確立に一歩でも前進していないし、全く功績を残していない。

こう考えると、ノーベル平和賞は「真の自由と平和的共存のためにはふさわしくない賞である」と評価するのも意義があるようだ。それをさらに証明したのは中国政府の転覆をねらった受刑者の劉氏が、そのよい例と言えそうである。

ノーベル平和賞に価する条件を沖縄に復帰前後の政治的状況で、人権確立と平和の基礎を築くために時の権力者たちと真正面から抵抗して闘った偉大な政治家たちが、地球上の小島の沖縄で、巨大な米軍事帝国植民地主義の権力者たちと人権獲得に精魂をかたむけた政治家たちに注目すれば、ノーベル平和委員会の存在に、新紀元を開く評価をされることに期待するのみである。

# 政治的差別至上主義に屈しない沖縄

## ――政治的悪性遺伝子は世界共通である――

### 一、ウチナーンチュ、マキテーナイビランド――

沖縄県民に対して歴史的事実の汚点を残した忘れられない人物がいる。二〇一八年八月から日米軍事帝国植民地主義者たちが、協議を開いて基地問題を解決しようとしているが、その報道によると「力で解決」する態度が明確になっていることである。その中心的な役割にケビン・メア氏が主導権を握って協議をすすめていることに問題があるのだ。

この主なメンバーの外務省と防衛省のグループは、県民の「民意」には「画に描いた餅」のように、好戦的に軍事帝国植民地国家体制主義である。県民の要望には、我が身を抓って人の痛さを知らない独裁的野望を抱いた人間集団が、沖縄の基地問題を解決しようとしている。

この協議会は、好戦的、高圧的、挑戦的担当者たちであり、辺野古への日米軍事帝国植民地要塞基地建設を断念させるには、民衆革命に向けての抵抗運動なくしては、県民への政治的暴力主義を食い止めることは不可能である。今世紀初頭の最大の悪魔主義の政治権力者たちを地獄の一丁目に遭わすには、県民一〇〇万人以上の民族闘争が必要である。

元憲兵隊（ＭＰ）の証言に「沖縄の人が怒るのも無理がなかった。戦後、米兵たちは沖縄の人を人間以下に扱い、あまりにもひどいことをしていた」と表明して「人間以下」と強調している。これは米軍事帝国植民地基地に関する声明にしばしば表現されていることの証言を裏付けているのがケビン・メア氏という差別至上主義者の「沖縄人はごまかしの名人、怠惰でゴーヤーも作れない最低の人間たちだ」と言って、堂々と米国内の大学生に講義したということで裏付けられている。

普天間基地の県内移設を強硬に主張する協議メンバーのメア氏は、日本の官僚政治権力者たちも日本語達者の彼に、物言わぬ花の態度が窺える。日本語達者のため、日本側は敬服しているのか、平等に交渉しえない雰囲気があるようだ。沖縄での領事館勤務中は、差別至上主義の発言が多く県民から毛嫌いされていた人物でもある。県民の度重なる抗議にも反省の色は見せず、強権的圧力により県民を邪魔者扱いにして支配しようとする冷酷な人物であった、という悪評を買っていた。

一九九六年から約三年間、沖縄勤務を終えて本国へ帰任の知らせは、県民の喜びは言葉に言い尽くせないほどであった。帰任後は再び沖縄関係の問題に携わってはならないと願っていたが、再び「日本部長」に就任していることが報道されたとき、今度は強力な外交姿勢で大地を揺るがす勢いにまかせて暴言を吐くのではないか、という恐怖感があったのである。

帰任後も相変わらず、普天間基地を県内移設に強権的外交手段で押し切ろうとすることを日米協議会で発言している。沖縄勤務中は自分の主張がスムーズに実行できないという不満から差別的独裁的発言が露骨になっていたようである。約三年間の足跡で何を残しているのか。驚く発言として「沖縄人はゴーヤーも作れない」と愚民扱いをしたことがあったが、沖縄問題について無知であったことが物悲しいのである。沖縄県民を愚民とみなして、強権的な軍事独裁的差別意識が高く、実態を調査し研究する意欲もなかったのだ。メア氏は、米軍事帝国植民地主義の不良高官であったようで、気に入らない国家には軍事力で始末をつけようとする危険人物とも言われていた。

彼は、一九五〇年代に土地強奪の野蛮行為を知ってのことばなのか、県民に「怠惰」という侮辱的な発言をしたのだ。知る者は言わず言う者は知らず、何たる愚かな思考力の乏しい持ち主なのか。そういう断言をしたいならば、銃剣とブルドーザーで強奪した金網の中の農民たちの豊穣な土地を完全回復して、農業生産ができるようにすることである。強奪された金網の中の農地跡を完全返還すれば、沖縄特産のゴーヤーを豊富に生産する技術を持っているので、その生産物を近隣諸国や日本本土に輸出すれば、基地収入に依存しない自然環境に恵まれた平和な楽園の美ら島となり宝の島となるのは確実である。

沖縄の不幸の根源は、すべて米軍事帝国植民地主義者たちによる生産基盤の農民の土地を銃剣とブルドーザーによって強奪され接収されたことである。

時が解決すると思われたが、メア氏の暴言から五年後、再び沖縄の基地問題に苦言を呈し、県民を侮辱した発言をしている。今回の不平不満の矛先を、在任中の翁長雄志知事へ体当たり的に非難を浴びせたのだ。五年前の侮辱的発言から何んらかの意識変化もなく、沖縄県民の「民意」を理解することのない依然として、政治的、軍事的差別主義に基づいた悪魔の囁きである。「移設阻止は負担軽減阻止にしかならない」と主張して、異口同音に使用する「負担軽減」の繰り返しで圧力を強めることに全神経を集中している。

日米軍事帝国植民地基地の解決に心血を注ぎ、竹帛(ちくはく)に名を垂れた政治的名言をはいて県民に惜しまれながら二〇一八年八月、鬼籍に入る翁長雄志知事の、日米の独裁的政治権力者たちと闘った国内に例のない政治力の足跡を、時の権力者たちは、深い味のある胸を打つことばを胸に手を置いて心に刻み込んで、真の民主主義に適った政治公約を果すべきだ。

翁長雄志知事が、県民の「民意」を尊重しそれを梃子にして、辺野古に新型の日米軍事帝国植民地基地建設の猛烈な反対に対して、メア氏が「県民に無責任だ」と神髄から発した独裁的暴言発言は、沖縄県民の心に深く刻まれて永遠に語り継がれていくであろう。また、彼を招聘して講演を依頼した沖縄出身の国会議員にも問題がある。

## 二、芋の煮えたもご存じない者が学生に講義する

沖縄から帰任後の本国での勤務は、米国務省の「日本部長」という肩書きの地位に就いた後も沖縄県民に相変らず「揺すりの名人の沖縄人」という侮辱語を使用している。この暴言こそ、米軍事帝国植民地主義の沖縄に対する本音である。軍事力、経済力を駆使して強力体制で辺野古へ新型の軍事要塞基地建設に政治的、軍事的圧力主義で脅して無理矢理に押し付けるのは、民主主義の名の不思議な国家である。沖縄県民は、人を脅迫して無理に押し付けて欲望を満たす人間ではなく、その力もない。

メア氏は、沖縄県民に対して個人的発言としているが、沖縄の勤務中にも多くの問題発言をしているため、招かれざる客とみなしていた。その人が言い訳をしても講義を受講した学生や大学教授の証

言から真実に語ったことは間違いではないのである。

沖縄県民から抗議される憎しみは、常に積み重ねた潜在的な感情から真実を語ったことは言うまでもない。日米協議会の一員として沖縄に対する高圧的な態度の言動に、その本性が如実に現れている。真実根に持っていなければ、日本へ視察に行く学生や教授への嘘八百を述べないであろう。県民の爆発的な抗議の怒りの渦が、全世界の人々の心を揺るがす発言に反響もないであろう、と思い込んでいたかも知れない。沖縄県民に常日頃「愚弄民族」という差別意識の持ち主であるため、普天間基地の問題が進展しないことに感情をこめて学生たちに講義をしているのである。

彼は、国務総省の要人であるので「日本部長」に就任して沖縄の実情を日頃の会話の中で、国務総省の担当者たちと話し合っていたことも事実であろう。沖縄の歴史に刻むべき悪徳の人間として、永久に記録として残さなければならない。沖縄県民の彼に対する怒りと憎しみを表した抗議に、米国在住の沖縄県人会長の声明文に「沖縄県民の傷はかすり傷ではなく、しぶとい膿を持った深刻な現象である」と力説して深い感動を与えている。

沖縄県民への侮辱的独裁的植民地主義者の発言は、国内軍事帝国官僚政治権力者たちも同調していることを推察することは容易であるということである。そうでなければ、県民の怒りの声を真剣にとらえて、面と向かって徹底的に抗議する筈であるが、それを認識することもなく沈黙しているのは同調しているのだ、と言えるのだ。その勇気があれば、県民を大事な日本国民の仲間である、と意識するのであろうが、徹底した差別主義があるため、どういう政治的行動で立ち向かって県民の納得する手段にでるのか、注目したにもかかわらず何の異議の申し立てもなく、ただ唖然として立ち尽くすばかりである。

もう一つ物足りないのは、米国防長官が沖縄の基地視察の感想に「普天間基地は世界一危険な飛行場である」が「世界で最も安全な飛行場である」と言明したことだ。それに基づいて国内軍事官僚植民地主義の権力者たちも、その言明に従って同じ立場の考え方をしているようである。沖縄の広大な日米軍事帝国植民地基地を視察して、その危険性を言った官僚政治権力者はなく、米軍事植民地の権力者の言明に、事の重大性を察知して危険性除去には辺野古が「唯一の解決だ」と言う。

メア氏の本心からの暴言にも問題を軽く受け止めているので、抗議声明もなくむしろ同感している印象を受けている。沖縄県民に脅しをかける手口は、政権を担うと同じ穴の狢となって、メア氏の宿命的な意識と何等変わらない。むしろ「揺すりの名人の沖縄人」というレッテルを貼ったことに喜びを感じるのは日米軍事植民地主義の独裁的政治権力者たちに過ぎないのである。こうした軽蔑的な暴言に左右されないためには、県民のひとりひとりが訳の分からない政治的暴力発言を深く肝に銘じて平和で安全な宝の島にしていく努力をすることである。

沖縄県民が「物欲と私欲」に執着する我利我利亡者を反省しなくなると、将来大きな不幸をもたらすことを自覚しなければならない時代になっている。一時的な目の前の日米軍事植民地産業からの利益のみに夢を見ても、いざ有事（戦争）になれば、何も残らない。日米太平洋戦争の地上戦で悲劇の島となった想像以上の惨禍を受けることを骨の髄まで問い正し、夜空の星を見詰めながら日米軍事植民地基地のない沖縄の未来像に華胥（かしょ）の国に遊ぶことを目標にしたい。一歩退いて考えることも一理があることを意識する現実である。

# 政界の伏魔殿と化した沖縄防衛局

## ――敵方を味方に引き入れるつわものたち――

沖縄防衛局長当時の真部明氏が、保守系の候補者の特定指名せずとも職員を集めて勤務中、庁舎内で講話を開催したことは、当然に誰を指示していたのか明確に判断できる選挙のあり方が問題になったことがある。防衛局長の肩書きのある責任者の立場にあって、更に最高責任者の防衛相は、国家公務員法違反を承知しているにもかかわらず「本人にも説明責任を必要とする」ということで、更迭先送りをするのは釈然としない選挙活動の例が過去の選挙にあったのである。選挙史上、問題となった具体例として、宜野湾市長選挙が間近になっているので、局長を選挙告示前に選挙違反で処分決定すると、選挙違反行為を公然と認めたことになって、市民も違反行為に対し、保守系候補者に不利になることを憶測して、処分すべきことを保留にしたのである。

事実、民主党時代の官僚政治権力者たちは、局長級の地位にあって立場上当然に革新系の候補者に投票してはならぬ、ということが明白でありながらその成り行きを観察している態度である。過去の経緯から局長個人的立場で講和を開催したとは思われないのである。日本の政治形態が縦割行政になっているため、伝統的な官僚型であるからこの局長の行為は、上司の命令指示を暗黙に認めていたのは疑う余地もない。日米軍事植民地基地に隣接している自治体の選挙では、熾烈をきわめたあらゆる手段と方法で対策を講じて選挙運動に臨んでいることである。

更に遡って考えると、名護市長選挙と県知事選挙では、防衛局から職員向けに講話をしてそれが馴れ合いになり、全国的に注目された選挙では慣例になったのか、講話の拡大によって親族の有権者を調査するまでになったのは宜野湾市長選挙の影響によるものである。この一連の選挙運動は、防衛省の上司の指示もあったのではないかと推測するのだ。公明正大な選挙でないため、投票率の低下と若者の棄権も極端に広がることに対策をたてるべきである。

こうした選挙運動の不始末をしでかし、日米両軍事帝国植民地基地を永久に堅持するには、沖縄県民をどう支配し、衆愚政治にするのか昼夜を問わず考え続けているようだ。沖縄防衛局長が、沖縄の勤務中に学んだのは差別主義に基づく言動を吐き散らして県民を劣等意識にしているからこのような行動をするのである。これも若者の選挙に対する権利意識の低下と棄権になる原因にもなるのだ。

防衛省の最高責任者は、局長級の部下の行動に責任者として自覚していれば、部下の無責任な違法行為に「責任を問われる致命的なものはない」という言い方をする人物は指導者としての欠格者であるので、内閣組織の中に入れるべきではない筈だ。明らかに見え透いた旧民主党政権下の防衛省の醜い政治的体質が、局長処分の見送りにしているので、現政権の自民党とはしょせん同床異夢であるから沖縄県民は狐に騙されないように警戒しなければならない。騙されていることを知らないと一波わずかに動いて万波随(したが)うため、その悲劇は測り知れないのである。

沖縄弁護士会も当時の行為に対して、局長処分を求める声明を発表している。講話を開催することは、特定の候補者を暗示しているから違法であり、それに加えて防衛局管轄の職員のみではなく家族関係者まで拡大して「リスト作成」するのは、公務員として重大な選挙違反であると指摘している。基地の集中している自治体の違法性を確認し調査して公表することは、身内の者を寛大に処分しようとする感情は人間である以上、屁でもないと思うのはよくある現象である。弁護士会から要望として第三者機関へ依頼して内部調査すべきであると常識的に判断しているので、一刻も早く調査して県民に公表することは、今後の選挙運動にも影響するからである。

沖縄防衛局長の行為を具体的に説明すると「リスト作成」は、国家公務員法、行政機関個人情報保護法の違反、講話については公職選挙法、自衛隊法にも該当している違反にもなるので、時間をかけても国民と県民に処分決定を明確にすることであるが、その正体は不明瞭である。

法律の違反者を厳重に処分しないならば、国家権力を無造作に振り回すことになり、精神の腐った者に対しては、教育のしようがないではないか、という中国名言「朽木は彫るべからざるなり糞土(ふんど)の牆(しょう)は杇(ぬ)るべからざるなり」に耳を澄まして、政界に君臨することである。

例えば、沖縄防衛局長が処罰されないことになった場合、同じ国家公務員の学校長が、全職員を集めて選挙に関する講話を開催したならば、社会的責任を追及されて厳格な処罰を即座に下されるのは、火を見るより明らかだ。

全国の各自治体の選挙運動中で、特に沖縄の場合には日米軍事帝国植民地基地に関係する選挙が、政治公約の重点的になるため、違法行為を処罰されないと、局長のようにこんなにも許容されるのかという疑問と共に、民主主義の根幹を揺るがす官僚政治権力者による政治政策にはうんざりするのである。

過去と現在の何れにせよ、選挙運動で考えさせる印象的な記憶を、在日韓国人が六七年ぶりに選挙権を与えられた感想に「清き一票は人間の尊厳になる」ということばに選挙権のある人間は、肝に銘じることである。

こういう権利意識をすれば、選挙に対する自覚をしているため、棄権防止と投票率の低下を防止するのは言うに及ばないと言うことである。

## 歴史的転換期を迎えている沖縄 ――評価書は悪魔の贈物である――

沖縄の行政側から要求通り認めた「交付金の給付」に対して、県民の八割以上が「評価書」の受領拒否を望んでいるにもかかわらず、行政上受け取ることを表明した政権担当時の仲井真弘多氏に問題があったようである。やはり指摘されるように、県民の根底には武器を使わなくても物質（お金）で支配し抵抗を和らげることができると判断している。物質的に解決すれば、日米軍事帝国植民地政策で統治できると考えているのが両国の目に見えない強権的政権の恐怖政治になっている。

沖縄に波紋を投げた元沖縄領事館勤務をしていたケビン・メア氏が、県民を「ユスリの名人でゴーヤも作れない沖縄人だ」と暴言を撒き散らしたことに対し、腹に据えかねる満面朱を濺ぐほど怒りの感情が頂点に達したのである。それと同様に悪魔の贈物の「評価書」を知事が受け取ったことに県民は怒り心頭に発していたのである。

名護市辺野古移設に向けて「評価書」を沖縄県へ提出するという通達に対し県議会は早急に臨時議会を開催して、血も涙もない抑圧強硬手段に出る独裁政権へ断念させるべき行動に逸早く踏み切るべきである。月日が経つにつれて、沖縄を甘くみてどんどん「評価書」の提出準備をすすめると同時に下準備として次から次へと各官僚政治権力者を送りこむことを計画的に秘密裏に宣撫工作を計画しているのである。断念の要求と抗議文の提出に間を置くと、県民の「理解と協力」を与える機会にならない瀬戸際に立たされている。

県議会は「評価書」の受け取りを拒否する行動を即座に対応できる体制を固めて迅速に先取りして効果的に撃退する手段と方法を考えるべきである。沖縄の行政担当者たちは、官僚政治権力者たちの動向を注意深く細心の情報に洞察することに神経を尖らせて挑戦しないと長いものに巻かれてしまう。

「軍事基地を許さない女性の集い」が、県議会の可決する前に行政側へ声明を発表しているので、県議会側もそれに先駆けて最も早く県民の先頭に立って行動することが今後の対策に重要課題として問題提起されている。

旧民主党政権当時の野田佳彦首相が、日米軍事帝国植民地基地に関する問題に「誠心誠意」寄り添って解決する気持ちがあれば、消費税引き上げに反対の意思表示をして離党したことと同様に、新型の日米軍事帝国植民地要塞基地の県内移設に反対することと、泥棒が真夜中に「評価書」を搬入したことに対する抗議を、素直に自覚して離党を表明するならば、名護市辺野古へ移設も見直しの方向へいくのではないかと期待していたのである。

名護市議会も同時に臨時議会で、沖縄防衛局が市民や県民の総意を無視したことに対して「評価書」提出に抗議決議を多数決で可決している。その決議文に注目するのは「沖縄の状況を把握していない素人だ」とか「県外移設を求める民意を理解していないばかりかこれから行われるアセスの審査会も軽視している」と強調している。また、一般市民から賛同した声明に「評価書の提出も押しつけで上からの目線は変わらない。県民から理解と協力を得ることは絶対無理だ」と断言している。こういう目差しでみられていたため、これに歩調をあわせて「オール沖縄会議」が総力戦で「県外移設は県民の総意であり、日本の防衛であれば全国で負担すべきである」と主張して「オール沖縄」県民の総力をあげた怒りの要望となっているのである。

日米軍事植民地用語の「抑止力」を使わなくなった代わりに「負担軽減」という安堵の色を浮かべる用語を頻繁に使用して県民の抵抗運動を和らげようと必死になって、まるで虎がするどい目つきで獲物をねらっているように虎視眈眈とした悪心がおきることばの使い方に変わっているのだ。

沖縄県の知事が受理した「評価書」について、旧民主党政権当時の外相（玄葉光一郎）が、「プロセスが進んでいる」と表明して、後は野となれ山となれの言動で県側に「理解と協力を取り付けるために努力したい」という裏には、人権無視の政治的、高圧的、虐待至上主義の感覚が陰に籠もっている証拠だ。

人が寝静まったころを見計らった「評価書」の搬入の仕業は、六月二三日の「慰霊の日」と悪魔の贈物となった日を「悲劇の贈物の日」と記念して、末長く記憶に留めることに県民の偽ざる主張が籠もっている。

日米軍事帝国植民地政策を強力に推し進めるには、県民に影も形もない巧妙な政治的手口で、あの手この手で綿密に計画をたてながら、抵抗する者には取り締りの法律を成立させて国民や県民を弾圧する社会情勢になりつつあることに将来への恐怖専制政治の予感がするのである。

悪魔の贈物の「評価書」が無念にも受け入れられると、次の段階の予想には「鬼が出るか蛇が出るか」非常事態に突入することを立ち止まって真剣に考える県民の心がある。県民が政治的関心をもち、更に抵抗精神を心の糧にして抵抗運動に力を入れると、日米軍事帝国植民地政策の根を断ち切ることも不可能ではない。諦めない抵抗精神を失わない限り、夢は必ず実現することを歴史が証明している。

沖縄県民には先祖代々から未来を創造するたくましい魂が宿っている。それを信じて、日米軍事帝国植民地政策の支配から解放されて、将来への展望を語ることに目覚めて能力を発揮することによって明るい感動に満ちた住みよい美ら島となり、宝の島になるのは論を俟たないのである。

## 予見不可解でない軍事クーデターと沖縄
### ――起爆剤の拠点が沖縄である――

沖縄近海で日米軍事植民地国家の軍隊が「軍事共同作戦」の訓練を、沖縄県民の目に触れない地域で実戦さながらのすさまじい勢いで毎日繰り返されている現実に、防衛省の管轄下であっても、米軍の指揮による軍事共同作戦訓練となっている。

日本の軍事官僚政治権力者たちが、自衛隊に異議申し立てをしても、いざ緊急事態が発生した場合、自衛隊は米軍に寄り添いながらその命令に従って軍事作戦に踏み切る体制になっているのではないのか、という懸念をいだくのは短絡的な考え方であろうか。

日本の国家体制に不満を持ち、転覆のクーデターになると、米軍の命令には絶対的服従精神が常日頃の日米軍事共同訓練中に教育されていることが考えられるため、自衛隊は米軍の陰になり日向になって、国民とは懸け離れた軍隊組織が現在の自衛隊の真の姿であると考えるため、深淵に臨むが如しの心境である。それは、軍事共同作戦訓練と同時に軍事教育による組織作りが着々とすすんでいることが報じられていることで理解できるようである。そうなると、自衛隊の存在は、国民に目を向けるよりも、米軍の指揮下の訓練になっているので、その命令には命を懸けるに遅疑逡巡しないであろう、と推測している。

沖縄県民の一部の例外はあるが、戦後の経済的繁栄は、米軍事植民地基地の存在によって日常的に生活様式が現代化しているのは、基地経済の「お陰である」という僅かながら県民の意識がある。こうした意識が、日米軍事植民地基地の撤去と普天間基地の県外移設に関しては、全身に力瘤を入れて抵抗運動に参加することに消極的になり、沈黙して蚊の食う程にも感じない人たちもいるのである。

もし悲運にかたむいて日米軍事植民地国家の間に摩擦が生じた場合、打開策不可能の判断が下ると、自衛隊にクーデターを指示し行動する可能性がある。過去の日本の歴史でクーデターの発生はあったが、成功した例は皆無である。しかし、現代の軍事組織の中でクーデターの発生原因があれば、米軍の指揮訓練の下に成功する可能性は考えられる。自衛隊は、内閣総理大臣の指揮下にあるが、自衛隊の沖縄訓練地域での両軍の間では、自衛隊側からすれば、日本の防衛省よりも米軍の国防省に加担する率が高いと憶測するのだ。

それに一言付け加えて考えた場合、文民統制の政治行政になっている日本の国会活動には自衛隊の位置付けとして憲法九条に追加銘記されると、その制度が完全に崩壊して自衛隊の政治的発言が目立つようになり、国会運営に大きな影響を与えることは、過去の歴史の事例で理解できるであろう。憲法の条文により自衛隊も国会活動に参与することが予想されるため、国会議員に立候補の場合には確実に当選するであろうことは、背景には約二五万人の隊員が控えているため、すくなくとも七〇％以上の支持率で当選することに確実的である。また、その背後には米軍の権力者たちが、睨みを利かせて陰になり日向になって後押しすることも予想するのである。自衛隊出身の国会議員が増えて勢力拡大するにつれ、思い通りの政治活動がすすまないと行き着くところは、権力を笠に着て政治的クーデターによって解決することを一事が万事推測するのである。

将来、日米軍事同盟の「安保条約」問題により両国間に紛争が生じた場合、米軍側から自衛隊への軍事クーデター支援が考えられることを予想しなければならない。近隣諸国と紛争が発生した場合を想定して両軍は一心同体の関係にあるため、日本を無視して米軍との共同作戦をとることを案じている。そういう状況になると、最も危険な地域が沖縄になることに予想せざるを得ないのである。

日本本土や米国から定期的に、米軍機が頻繁に飛来して軍事訓練を繰り返している状況には、沖縄から日米軍事帝国植民地基地を完全撤去することによって安全確実な堵に安ずる生活ができるのである。地上戦で勝ち取った勝利の島としているため、沖縄を日米軍事帝国植民地基地にして更に名護市辺野古の陸と海を問題の土砂で埋め立て、巨大な軍事要塞基地建設に拍車を掛ける始末である。

国内軍事帝国植民地主義の官僚政治権力者たちは、沖縄を全国最低の県民であると認識しているのか、米軍に関しては都合の悪いことについては、軍事的、政治的に高圧的な態度で強権的に、じわりじわりと目に触れないように巧みな戦術で、日米軍事帝国植民地政策に踏み込んでいる。

全国的に貧しい沖縄であっても、贅沢三昧を欲していないし、ただ一つ願ってもないことは日米軍事帝国植民地基地のない平和で美ら島の宝ら島になれば、質素な生活も我慢するのが沖縄県民の良しとする性格に基づいているのである。

沖縄県民は、戦争に結びつく日米軍事帝国植民地基地の完全撤去と、名護市辺野古の軍事植民地要塞基地建設を断念させるまで、県民の「テーゲー（真面目に真剣に考えない）」主義とか「チャンナラン（どうしようもない）」と言った諦めにもなることばを徹底的に検索し、反省しないと基地撤去は困難となるのである。

基地撤去と軍事要塞建設を断念させることが、軍事クーデターの不安もなく平和な島として争いのない宝の島になり、そのためには県民として絶対に諦めない抵抗精神で、身を以って県民の望む空の青と、海の美しさを噛み締めることが、本来の沖縄である。それに加えて、世界情勢の中で現実を直視する眼識力を沖縄の本来の持ち味を生かして抵抗精神で行動することが現実の問題を解決する道筋となっていくことになる。

## 柔軟性に富む釣魚島の名称
### ——国際間の緊張緩和になることを願う——

中国名「釣魚島」と日本名「尖閣諸島」の名称との比較では、中国名称が平和的友好関係である、という印象を受ける。それに対する日本名の尖閣諸島の「尖閣」には、その名に因む「内閣」とか「閣僚」といった政治的色彩が強く、また「尖」という響きから「尖鋭、尖端、尖塔、尖兵」の語句のように政治的行動が急進的で相手側を容赦なく攻撃する構えの大勢と同時に、戦闘的な厳めしい警備態勢を準備している島の名称であると強く印象に残るのである。

これに対する中国の名称は、攻撃的印象はなく、かつ平和的で紛争を発生させるような印象はなく、共存共栄の外交姿勢である。近隣諸国との関係では、友好的であるという強烈な印象を与えていると同時に、紛争発生の場合には漁業交渉の外交姿勢で円満解決しようとする温情的な島の名称となっている。

尖閣諸島の名称は、中国から歴史的に判断して強奪したため、この島に対して「領有権を主張するな」と言わんばかりの強烈な姿勢を示している。もし不幸にして、日本軍事帝国官僚政治権力者たちが「尖閣」という名称通りに業を煮やして実行すると、挑発的な行動で紛争解決に踏み切ることに不安と恐怖心が沖縄県民には骨身に沁みている。

中国の名称は、島の名称として適当な感覚で理解しやすいため、中国は中国名に従って真正な歴史事実に基づいて国際的に領有権を主張することであろう。

沖縄本島の東西南北には、日米軍事帝国植民地軍隊が毎日昼夜を問わず、中国を意識した軍事侵略戦争の準備のために陸、海、空の地域で、砲火を交える前の軍事訓練が繰り返されているのだ。

沖縄を拠点にして、日米軍事帝国植民地政策を実行している戦後から「防空識別圏」を設定していることを考えた場合、中国が自国の領有権を守るために勢力圏を設定したのは当然の結果として受け止めているのである。

沖縄本島の周辺で、沖縄県民を精神的、物質的に足枷をはめた「安保条約」と「地位協定」を盾にして、沖縄の声を空吹く風と聞き流す日米軍事植民地権力者たちは、中国に対して異議申し立てをするのは国際上、道理に適っていないため、其の手は桑名の焼き蛤(はまぐり)になる態度で臨んであわてる必要はない。

尖閣諸島という尖鋭的で不可解な名称を改めて世界の国々から親しまれるように柔らかくてよい印象を与えている中国名「釣魚島」に統一すれば、沖縄県民として紛争のない平和的な漁場の海域になることに大きな期待と願望を抱いているのである。

沖縄の伝統的精神構造に「肝心」が心の中に宿っているので、窮鳥懐に入れば猟師殺さず、という民族意識に触れることに近隣諸国に人々は、よき友、よき理解者として受け入れているのである。

## 国民は政治に何を求めているのか　――国民の要望と乖離した政界――

国民が最優先に希望している景気や雇用及び年金制度について、国会会期中の最初の段階で解決することを望んでいる。日本の先端技術を持つ大企業が、海外に侵出して現地で安い賃金で雇用しているので、日本国内の企業では雇用状況が低い上に失業率も高くそのため景気雇用が大問題になることを予想している。

先端技術が海外の各国に習得されると、日本の技術が模倣され、その国で技術的に生産して技術習得すると、日本国内で生産された商品は、海外の国々で売れることが鈍くなり景気にも影響することになる。そうなると、政治家の政治的手腕が問われるであろう。

国民の政治に対する関心は、景気回復と雇用、年金に医療等の社会保障については永遠の課題である。この要望事項は、短期間で実現することは容易ではないが、努力を重ねて議論し、問題解決への情熱と意欲があれば、不可能ではない。ただ官僚政治権力者たちには、党利党略の問題が絡んでくるため、真剣に議論して国民に満足感を与える気配がないだけである。例えば、旧民主党の第二次菅直人政権が発足して「政治とカネ」に追い回されている最中に国民の最大関心の一つに社会保障の審議がなく国民の不満も最高潮に達していたことがあった。その審議に応じない当時の野党の自民党も「政治とカネ」さえ追求すれば、政権も国民から乖離されることを目標にしていたため、国民の切実な国会審議に参加しようとしない、だらしない政党になっていたのである。政権担当の経験が豊富にもかかわらず、国民の政治家に対して期待するのは何か、ということを熟知していても国民の最重点の感心は僅か四・四パーセントの最下位にある問題に、余りにも執着しすぎる。「政治とカネ」以上に国内の政治情勢から一転して、国外に対して「外交と安全保障」について「社会保障」と同じ水準で感心を抱いて国会討論で平和的に問題解決へ向けて徹底的に国民が理解できるようにすべきだ。

日本は北から南にかけて長い列島になっていて領土問題についての解決の目途がなく、長い年月が経過しているが、解決への道が閉ざされたままの状態である。それぞれの相手国は「固有の領土である」と主張しているため、相手国との関係は一触即発の危機に直面した外交交渉の政治的緊張が続いている。国民は、こうした外交姿勢の重要課題にどういう方策を立てて対応するのか、固唾を呑んで事の成り行きを見守っている。

しかし、国民は領土問題に関して二・三％の割合の関心しか持っていないので、政治家も重点的に問題解決の意欲も低くなっているのであろうか、外交問題では他国と比較して弱腰外交となっている。特に親分の米国との関係では、沖縄の日米軍事帝国植民地基地について論ずる場合には同等の立場で物が言えないのか、いつも押し切られて国民や県民から「まずい外交」と言われてもあまり気に掛けることもなく平身低頭たる態度で外交に臨んでいる。

中国や北朝鮮の軍事行動に対しては、腸が煮え繰り返るような外交姿勢で、厳重警戒心で対応していると思われているのか、相手国から信頼される交渉に踏み切れず睨みを利かせる手段に出ることになってしまうのだ。親分の米国に対して平等の絶対的立場で物が言えないのか、低姿勢の外交交渉になっているが、嫌いな中国や北朝鮮には軍事力で威圧するような手段を選ぶように、沖縄にも同様の方法で名護市辺野古に新型の日米軍事植民地要塞基地建設を強権的政治権力の圧力で強硬手段に踏み切っていることで証明している。

　官僚政治権力者たちに同調する日本国民の大半が、名護市辺野古に新型の日米軍事要塞植民地基地建設と東村高江のヘリパット工事建設反対に、沖縄県民の「民意」を結集した大規模な反対集会を展開していることに対し沖縄県民を「土人、支那人」と罵声を浴びせながら蔑む視線で嫌悪を抱いていることと、近隣諸国にも同様の感情を持っている間は、信頼されるどころか、却って孤独な国家となることは言うに及ばないのである。

　国民の関心の高い最重要問題を優先して解決に熱中し、国民の要求に近い程度までその糸口を見出していけば、近隣諸国と外交問題に関心を示す余裕もできて、解決不可能と思われる外交交渉も可能となるであろう。

　日米の先端技術が高度に発達している現代は、近隣諸国と国際関係上困難な問題も知恵を絞り出して打開する意志があれば、日米軍事植民地訓練に脅えることもなく、平和で安全な無何有（むかう）の郷（さと）に様変わりするのは、言わずと知れていることである。

## 御百度を踏む政治指導者に騙されない

### ——地球温暖は美しい自然破壊である——

名護市辺野古の陸と海に、県外から問題含みの土石を埋めるために、誘致派の住民と懇親の目的で旧民主党政権当時の防衛相と政調会長が共々に、踵を接して来県した交渉の不始末が現政権にも折り重なり強硬手段で立ち向かっている。沖縄県民が猛烈な勢いで建設反対して抵抗しているが、鹿を追う者は山を見ずの行動である。

北沢俊美前防衛相は、当時の地位は単なる平議員で内閣の組織に属していない。また、前原誠司は「政治資金規正法」違犯で辞任した直後も頻繁に来県して、新基地建設に「総力をあげて沖縄側と信頼関係を築く」ことを目標にしていたため、政調会長の役職に位置づけてその任務に当てていたのである。こうした来県の目的は、沖縄を食い物にしてきた現政権の極右政治権力の議員と行動を共にして、誘致派の住民と懇談していたため、県民の怒りが頂点に達していたのだ。

このような御百度を踏む動向に対して、沖縄県民の抵抗手段の方法は、現地に専門家を派遣して誘致派と親切丁寧に反対の意思表示ができるようにあらゆる対策を駆使し、日米軍事帝国植民地主義の政治権力者に抵抗運動で対応しなければならないのである。御百度を踏む来県に仕方がないといった柔軟姿勢を見抜かれてはならない。後は野となれ山となれで屈服せざるを得ない県民の「肝心」を見せてはならず、また弱音を吐いてはならない注意力が必要である。

過去の歴史で「長いものには巻かれろ」という抵抗精神が欠けた県民感情もあるため、それに対抗するにはエネルギーが必要であると思いこみ、骨折り損のくたびれ儲けの感情を抱いてしまい、矢継ぎ早に来県する悪徳権力者に無関心になってはならない。

沖縄は、全国一所得水準が低い地位にあって、過疎化の自治体もあるため、悪徳官僚政治権力者たちは「お金が欲しい」という県民の気持ちを察して、お金で面を合わせる気持ちでちらつかせて、一攫千金の夢を見るような気持ちにさせて日米軍事帝国植民地要塞基地建設への賛同に漕ぎ着ける巧みな政治工作になっていることに注意しなければならない。

無償でお金を授かれば、一時的には満足を覚えて「この世はわが世とぞ思ふ望月の欠けたることもなしと思えば」という幸福に満ちた気持ちになるであろうが、巧妙な手口にかかって賛同してしまうと、戦争の準備が着々と整備され、いざ戦争になれば、現代の軍事技術の発達ですべて破壊される運命になっていることを認識しなければならない。戦争は起こらないという安堵感は、将来への展望を見極めることのできない安易な考え方で、危うきこと累卵の如しの状況になっている政界の動きに注目することである。敵対する国に含む所があると、神経が高ぶって政治的憎しみに変わり、武力行使によって問題解決することをためらわないであろう。

ここで立ち止まって考えると、沖縄本島北部と南部地域の住民との考え方の差異について、基地の問題に大きな落差がないことが望ましいが、しかしその意識には「戦争と平和について」の考え方で僅かに開きがある。南部地域には、沖縄の地上戦で多くの犠牲者が出たためにその霊を祀る慰霊塔が多く、平和を念願する沖縄県民の意志を後世に伝える「平和の礎」と「平和記念館」が建立されていることと、六月二三日の「慰霊の日」には、全県民の参列により戦争の残虐さを心に留め平和への道を誓う恒例の行事がある。それに対して、北部地域には慰霊塔は存在するが、戦争犠牲者を弔った「戦争記念館」がなく、戦争への恐怖感を訴える記念物がすくない。

沖縄に生まれて物心がつくまでに、あたりまえの生活環境に住み馴れると、社会環境の矛盾に鈍感になるのか行動する意志が弱いと言える。それに対する本土の意識する若者たちの中には「基地建設問題」や「沖縄戦」について学習する真剣さがあるため、責任を感じて行動する若者たちが増加しつつある。

過去の幾多の選挙で、新型の日米軍事植民地要塞基地建設反対を政治公約に掲げて当選している各地方自治体や国会選挙で「民意」を示しているにもかかわらず、保守的軍事官僚政治権力者たちは、耳を塞いで専制的政治権力を行使して「民主主義」の根本理念を地獄の一丁目に閉じ込めようとしている。

そこで現実の状況に目を向けて問題意識にしたいのは、新型の日米軍事植民地要塞基地建設に条件付きで賛成する誘致派の地域住民が、意識改革して過去の悲惨な地上戦の教訓を生かし、現政権の官僚政治権力者たちによる強権発動で有害性の高い日米軍事植民地基地建設反対に向けて、抵抗運動に踏み切る抵抗精神に身を固めることが必要である。

稲嶺進前名護市長の「辺野古の陸にも海にも基地をつくらせない」強靭な精神力のこもった政治的信念を、県民のひとりひとりが肌に感じて行動することができるのか、その局面に立たされている。

二〇〇年以上の耐用年数がある巨大な日米軍事植民地要塞基地が国有地になって百年の不作になる引導を渡されることを目の当たりにする前に、全力をあげて抵抗し行動しなければ、後悔先に立たずになってしまうのである。今後、二〇〇年以上にわたって過酷な日米軍事帝国植民地支配によって、憲法で補償される精神的自由権が脅かされる専制的抑圧政治の下に苦悩して生きていくことを認識しなければならない。

子や孫の世代に苦難の歴史を背負わせないためには、次の世代が命輝く幸福への道を歩むみちしるべを考えることが現代人の責務でなければならない。日米軍事帝国植民地支配から解放され、生き方と勇気で光り輝く未来像に夢を抱き、力強く生きる沖縄民族の逞しい姿を全世界に投げ掛けましょう。

## 密約国家主義に虐げられている沖縄
### ——専制体制主義の政治的圧力である——

日米軍事帝国植民地主義の国家間で、普天間基地の移設問題を協議すると、基本的人権尊重が無視されてとどのつまりは何事も起こらなかったかのように、国民や県民の全く知らない「密約」が結ばれ、その結果、日米軍事植民地政策が強化されることは必然的である。この「密約」については、その国家間には体質的な政治関係が戦後から現在に至るまで永遠に続いてきているため、官僚政治権力者たちの行動には不思議なほど密約交渉の流れが付き纏っている。この密約交渉に疑問を抱かせる前に、頻繁に米国訪問するのは、沖縄の同意を取り付けることもなく、ただひたすら密約交渉すること自体、隠し事を狙っている無様な政治的行動となっているのだ。

沖縄県と話し合い「民意」を尊重して最優先的に解決することが民主主義の法治国家と言えるが、頭ごしの密約外交には警戒心を持ちながら諦めず絶対的な抵抗精神で抵抗していくことが肝要となる。日米同盟を「深化」させるには密約主義の徹底的外交手段が必要であると考えているからである。この「深化」という表現の中身は、沖縄をますます過酷な試練に立たせ、冷酷な日米軍事帝国植民地主義の政治体制を置くと同時に、吸血鬼のように県民の血を吸いながら「安全保障」を隠れ蓑にして我慢せよ、といっているのである。好戦的で暴力的な民主主義国家の政治的闇ブローカーの密約外交主義の政治権力者たちに警戒を持ち続けることが不幸を招かないのである。この「深化」を徹底的に推し進めるためには、その奥底に「密約主義」の悪魔的政治信念がなければその植民地用語は生きてこないのだ、と言える。

親分の米国民主党と共和党議員の中には、沖縄の実情を理解して、名護市辺野古への新基地建設は困難である、と表明していることが報告されている。これに対して子分の官僚政治権力者たちやそれに同調する国会議員は「沖縄県民の民意を尊重して県内移設反対」の意思表示もなく、かつ一欠片の愛情もない折助根性の金槌頭の持ち主である。沖縄に寄り添う行動で一寸の虫にも五分の魂のこもった感情により県内移設反対の意思表示をすれば、親分の米軍事帝国植民地主義の権力者たちの心を動かすことは紛れもない事実になることは勿論である。

子分の日本官僚政治権力者たちは「密約主義」の政策を堅持することに政治信念を抱くのではなく、沖縄県民の七〇％以上の「県民投票」の「民意」を尊重して堂々と対等の立場で外交交渉することが信頼される政権となるのは勿論である。「密約主義」による軍事外交政策に熱中すれば、滅亡の運命にかかわる重大事が持ち上がることになる。その理由は、日米軍事帝国植民地政策による沖縄の社会環境に著しい被害を与えるからである。

その具体例は、沖縄における事件、事故に過去の例から「機密」にすることを根底にある証拠として「枯葉剤」について両国の軍事植民地主義では確認できない、という言明に虚偽の言動があるのだ。具体的地域の本島中部の位置にある北谷町内に埋められた、ということを証言する米退役軍人が真実に基づいて説明している。北谷町は、事実関係の確認を要求したが、日米軍事帝国植民地主義の権力者たちは「沖縄へ持ち込んだことを示す資料は何ら確認できなかった」という這っても黒豆の返答に終わっているのである。米退役軍人の証言は「枯葉剤」を担当したのであるから真実を語っているのだ。

現実に否定不可能の真実証言であるにもかかわらず、日米軍事帝国植民地主義者たちは「密約主義」に徹底してこだわっているため国民や県民の「知る権利」を物ともしない恐怖政治に姿をかくして、政治的に悪徳におぼれてしまった悪魔の吐く政治的慣用語となっている。

前知事の仲井真弘多氏が要求した普天間基地運用面で、五年間停止を要求したが、それに応じて対処する根拠として考えられたのは名護市辺野古に新型の巨大軍事帝国植民地要塞基地が不運にも完成しても、依然としてその政治的な裏工作には普天間基地返還の意図はなく、そのまま新型の要塞基地が完成後も県民の頭をなでて騙すに手無しの構えをみせようとしている。その軍事的根拠は、近隣諸国と緊張感が発生することを口実にして普天間基地が軍事上必要になっているから返還しない、ということになりかねない。

名護市辺野古の日米軍事帝国植民地要塞基地建設を断念させるという沖縄の最重要な政治的課題に運命をかけて、百年の不作にならないように骨に刻むことにしているのである。

## 頼りない宙に浮いた政治政策の結末　――開けて悔しい浦島の子――

日本本土に軍事帝国植民地基地の移設を事実上実行したくない基本的理由は、基地公害に悩まされることもなく基地騒音訴訟もないため、反米感情が盛りあがる恐れにも怯えることもなく、いたって平和的生活感情をもたせることができるので、国内軍事帝国植民地主義の官僚政治権力者たちも安定した政治活動ができると思っているからである。

二〇一九年一月、専門家の調査で明らかになった深刻な問題として、基地周辺に住む県民は爆音による「目に見えない凶器」にさらされた「埋れた公害」による病気で「心筋梗塞、脳梗塞、糖尿病、高血圧」の発生率が異常に高く、死亡者も増加している、と報告している。

人的被害に悪魔部隊の異名をとる海兵隊の事件、事故に加えて彼等の一夜紅灯に遊ぶ歓楽街の騒ぎに華麗な人間模様を織りなしたりしている楽園基地に感じているようだ。それに追い討ちをかける悪魔機オスプレイに怯えることもないため、すべて沖縄に押し付けておくことが日米軍事帝国植民地主義の政策上好都合である、と考えている。沖縄県民が不平不満をぶちまけて抗議しても、日本国民としての人間の尊厳を認めようとしていないため、軍事帝国植民地政策に反対する県民には「ネズミ集団」と蔑んで気に掛けないのである。

悪魔機オスプレイの軍事訓練を日本本土で実施することを在日米軍の司令官が発表している。全国的規模で訓練することは、沖縄県民の苦しみを肌に感じることができるので、全国的に基地反対運動が盛り上がることでよい結果にもなる。また、全国にわたって訓練することによって本土の各自治体にある未使用の民間空港を悪魔機オスプレイの配備基地にすれば、沖縄に米軍事帝国植民地基地を建設する必要は全くないのである。

問題になるのは、沖縄県民と同様に日米軍事植民地基地による被害の苦しみを与えてはならないが、その反面、軍事訓練による被害を受けた場合、その機会に半植民地国家から解放されることに目標を定めて日本全土から米軍事植民地主義の軍隊が撤収することも期待できるのである。

沖縄県民が、全面的に米軍事帝国植民地基地の完全撤収に向けて、復帰前から現在まで抵抗精神で撤去闘争してきたことは、世界の軍事植民地闘争の歴史年表に刻まれる業績を上げている。その完全撤去の暁を迎えることに心からの希望と目標を定めて、基地闘争に精魂をかたむけているのである。その暁に夢を抱いて、沖縄が真の意味の平和の島となり、宝の島となって民主主義の根本精神が県民の心の中に根を張り巡らすことになる。

旧民主党政権と現政権の自民党とは所詮、同床異夢の関係と思われるため、名護市辺野古に新型の巨大軍事植民地要塞基地建設には前車の轍を踏まないために、騎虎の勢いで執着心を燃やしていることと、危険性の高い悪魔機オスプレイが過去において幾度も事故発生していることを軽視して、沖縄に強硬姿勢で配備している。この機種に対して「危険・安全と思っているのは、日本政府だけではないか」と警告したのは航空自衛隊のパイロットの証言である。それにもかかわらず、その機種の構造からどんな悪条件があっても、本土には配備したくないというのが新旧の官僚政治権力者たちの政治的な悪知恵が働いているからである。

危険性の高い悪魔機の太鼓判を押されているため、健康的にも異常な害が生ずることを専門家から指摘されていることになると、思い浮かぶのは一九六〇年代の「安保闘争」の規模で大衆運動に発展した社会混乱を想定して、本土配備に到底待ち望まないので、結局のところ沖縄に閉じ込めておけば局地的抗議行動に終わると判断して、目的のためには手段を選ばない絶対的軍事権力を行使する専制的政治政策を沖縄県に敷こうとしている。この状況は、民主主義国家どころか権力絶対主義の至上命令となっている国家主義の政治体制になりつつあることの証明である。

民主主義国であり法治国家であるという政治意識で、沖縄県民の強固な反対意志である日米軍事植民地要塞基地建設拒否に、政治的重要な公約に闘った過去の幾多の選挙による強烈な反対「民意」と、二〇一九年二月二四日の「県民投票」による七割以上の圧倒的反対の「民意」を尊重するならば、民主主義の根本理念が根付いているが、今の独裁的軍事官僚政治権力者たちには、逆の方向へ政策を転換している、と言えるのである。

政権担当時の民主党の党名には魅力的であったが、政治的形態の中身で民主主義の名に価する政策を反故にしたために、国民や県民から信頼を失っていた。この政権当時は、悪魔機オスプレイの配備反対大抗議集会には、この両国の強権的悪徳権力者の間で、顎を撫でるように案に違わず「密約」を取り交わして、先ず普天間基地に配備しておき、市民が騒音によって我慢の限度を超えて生き地獄の境地に追い込まれることを予想し、仕方がない諦めの気持ちがやってくることに気を良くして、とぐろを巻いて待っている間に、新型の日米軍事植民地要塞基地建設の賛成へ方向転換することを推測している。現政権の権力者たちは、更にこの上を目指している。

何れにせよ、国の運命を背おう政権担当の座についた場合、面の皮が厚い官僚政治権力者たちは、沖縄の軍事植民地基地に関する問題では県民の猛烈な反対に対して未練未酌が無いので、政治的、軍事的計画実行のための鬼の空念仏を真に受けてはならない。

名護市辺野古の軍事植民地要塞基地の問題を契機に、将来の展望として強権発動の政治が明確に予測できるため、専制的軍事植民地支配の悲劇から解放されるには「虹の国独立国家」への選択の視野が開ける時代になることも夢ではないであろう。

## 軍事植民地支配に屈しない抵抗運動

### ――一丸となれば千丈の堤も蟻の穴より崩れる――

新型の日米軍事帝国植民地基地の移設先が沖縄になるとは夢想もしなかったが、悪夢にうなされたような県民の数々の民意による猛烈な怒りを押し殺して、悪魔の基地建設を強硬手段で勧めるのである。

県外の自治体は、この問題の悪魔機と莫大な交付金というアメを支給される条件付きで言い渡されても、それに対し絶対的に拒否する自治体の首長や住民は、人命の尊さを守る強力な抵抗精神から引き受ける意思表示をしないのである。これまで度々事故があり、死者があってもその原因を明確にせず、その悪魔機の欠陥に問題があると正真正銘説明すればよいが、性能の機密を隠して棚に上げて操縦ミスによる人為的な事故と公表すれば、国民や県民に不安を与えないですむと愚策を弄している。欠陥事故にすると、抵抗運動が盛り上がり日米軍事帝国植民地政策上、不都合を生ずるので、秘密主義を徹底しなければならないのである。

日米軍事帝国植民地主義者たちは、目標とする「日米深化」のために県民が大規模の抵抗運動を展開しても、生意気な対応策で執念を燃やし続けて煙と化すのである。悪魔機の欠陥事故よりも操縦ミスによる人為的事故にしておけば、配備にこぎ着けるまでは真実を隠し立てにするあくどい政治対策である。

人口密度の高い普天間基地を撤去すれば、沖縄の「基地負担軽減」になるとしきりに言っているが、その基地の代わりに過疎地の北部の辺野古へ移設すれば、果して「負担」の「軽減」になるのか、全くゼロである。日米軍事帝国植民地支配者たちの「口に密あり、腹に剣あり」の正体を見逃してはならない。過疎地とはいえ全く軽減にはならないので、日米軍事帝国植民地基地の維持には、最良の軍事帝国植民地環境になってしまい、事故に対する抵抗運動にも悪影響を及ぼしてはならないのである。悪魔機の軍事植民地訓練は、限られた飛行ルートではないので、どこを飛行するにも空と海は実効支配権によって自由に訓練するのが軍用機特有の存在となっていることに注視しなければならない。

日米の軍事植民地にあるため、自由自在に基地を使用し、事件や事故が発生しても県民の怒りと不安を解消する外交勢力は全くない。新型の軍事植民地基地の建設が終結するまでは熱心に寄り添うと説得するが、いざ建設が終了すれば、特権をふりかざして縦横無尽に軍事植民地訓練に拍車を加えるのは、明らかである。

沖縄県民は、日米軍事帝国植民地支配者たちから甘い汁を吸わされてその現状に甘んじてますます勇気と知恵を剥奪してしまうことを念頭に置いているので、県外移設や配備のことは想定していないのである。日米軍事帝国植民地主義の支配体制に、沖縄県民としての抵抗精神に基づいて一丸となり、千丈の堤も蟻の穴より崩れる、という信念で闘うことである。

戦後七四年間の軍事植民地闘争を振り返ると、簡単な解決方法はないが、ひとりひとりが偽の民主主義政治形態に問題意識で、抵抗精神を身につけて行動することによって、時の権力者たちを窮地におちいらせる歴史的抵抗運動があったことを教訓にすることである。沖縄県民が沈黙し行動を停止すると、日米軍事帝国植民地政策の餌食にされ、それが強力になっていくと精神的エネルギーが計り知れないほど大きくなることを知ることである。

沖縄県民の意識調査でその特性として「諦めが早く、厳しさが足りず」更に「依頼心が強く、視野が狭い」ために、官僚政治権力者や愚民とみなしている国民から劣等民族として意識されていることにどう対応すべきなのか、今真剣に考える岐路に立っているのだ。

日米軍事帝国植民地主義者たちが、沖縄の数々の「民意」を無視して強権政治を発動すれば、保守的軍事独裁政権の烙印を押され、挙げ句の果ては断末魔に転落の一途をたどるのは言うまでもなく政治的運命にさらされることを歴史が証明しているのである。

時の権力者たる者は「己の欲せざる所を人に施すことなかれ」の名言を認識しつつ国民から信頼されるリーダーとしての立場からこの名言を厳守し、国民や沖縄の人命と財産を守る重要な政治的行為をすべきである。

沖縄県民は、日米軍事帝国植民地政策の下で、卑下ではないが、人間としての価値を低く見下したような態度に対して、勇気を振り絞って人間としての価値を認めようとしない政治的発言に立ち向かう抵抗運動が必要である。沖縄が物質的に不自由のない現状の満足感に浸っていればよいのか、それとも、憲法精神の保障している人間の尊厳を軽視した精神的虐待の「いじめ」に耐えしのぶのか、二者択一をせまられていることを感じるのだ。いずれにせよ、その境地から解放されるには、どうすればよいのか、今立ち止まって冷静に判断しなければならない現実的問題に差し掛かっているように思われるのである。

疑問に答える両者の将来について考えたいのは、二〇一二年五月、沖縄で太平洋上に浮かぶ小さな島々の首脳たちによる第六回「太平洋島サミット」が開催された。参加国は実に一六ヵ国にまたがり八〇人が参加する。この小さな島々は、独立国家で美しい自然に囲まれて自然の恵みを受けながら豊かな自然と平和な環境の中で人生を謳歌した生き方をしている。

椰子の実の流れ寄る美しい宝の島の沖縄も太平洋上の島々とは類似点も多く、参加した首脳達の意見や感想から推察すると、沖縄を中心に貿易をして太平洋上の貿易拠点にすることに期待を呼び起こすのである。

日米軍事帝国植民地政策による支配権から自由への道に目覚め、豊かな生活を望まなくても、人間として生きる権利と平和で自由な宝の島の美ら島を築くことは夢ではないことに心豊かな気持ちに完全で平和な社会があると感じているのである。

日米軍事帝国植民地国家権力の環境を整備するには、北から南までの日本全域に跨がって軍隊配備の試金石を施すと共にこれに歩調を合わせて「日米同盟の深化」を計りながら益々戦争のできる道が駆け足でやってきていることを沖縄ではつぶさに意識できるのだ。

新型の軍事植民地要塞基地や悪魔機オスプレイの強行配備によって守備を固めると、次の段階は憲法改悪して容易に戦争への道を開く道筋になってきている。こうした暗い時代に向かいつつ、沖縄が再び戦禍をこうむる「捨て石」にされる可能性は一〇〇%以上である。

好戦的軍事植民地国家に挟み込まれた沖縄が、将来への不安な時代に苦悩するよりも、独立への道を模索することが非常に重要な現実的課題になりつつあると言えるのである。

## 舌先三寸で物を言う沖縄人と言われて　――ぶれる政治家が沖縄を売る――

旧民主党政権の鳩山由紀夫首相が、内閣就任直後、普天間基地の移設先を「すくなくとも県外だ」と報道したとき、県民は基地撤去の前進になると信じて明るい希望を与えられたのである。その予期に反して辞任の契機の原因は、県外ではなく県内でなければならない、という裏切り行為によるものであったのである。政治家は、ぶれることを潔しとしないことを証明した政治的発言と行動に期待外れをした瞬間である。

その後は菅直人を経て野田佳彦内閣に至る三年間に沖縄へ新型の日米軍事帝国植民地基地を建設する外交政策に急転換して、親分の米国の顔を立てるために、二〇一一年一二月の暮れ「環境影響評価書」が闇の中から県側に搬入されたのである。「これでプロセスが進んだ」と安堵の胸をなでおろして不届きな笑いが止まらない様子であった。

この「評価書」が搬入される前は、担当の各閣僚による矢継ぎ早の来県を繰り返しながら、当時の仲井真弘多知事の「理解と協力」を取り付け、あらゆる手段と方法を駆使していけば、知事もぶれるであろうと予測をしていたようである。知事も官僚政治権力者たちに弱音を吐く行動がところどころに見受けられていたため、県民の動向は非常に重要となっていた。ぶれる政治家は極めて危険で独断的に政治判断する方向に流れていくことを警戒する必要がある。

沖縄県に「理解と協力」を得るために「誠心誠意」で対応するという官僚政治権力者たちの専用政治用語を使って、県内移設へ強硬に成立させるべくあらゆる武器を使って怒濤のように押し寄せてくることを予想して、巨大な日米軍事帝国植民地要塞基地建設を跳ね返す強靭な意志で対抗しなければならない。将来の沖縄が再び悲劇の島になるのか否かの視野が広い県民であることである。

二〇〇九年九月の民主党政権の誕生で鳩山由紀夫氏が首相に就任したとき、全国民の絶大な政治信頼を得て政権公約を実践していくことに対して、国民や沖縄県民は政治への信頼回復に大きな期待と明るい希望を抱いていたのは言うまでもない。普天間基地の移設先は「すくなくとも県外だ」と主張していたが、時間の経過につれて他の官僚政治権力者たちの強烈な圧力により県内へ逆戻りになったため、政治への不信感は最高潮に達しており政界の先行きは不透明である証拠になっているということである。

官僚政治権力主義の座にあった民主党政権を絶対的に信頼して、その党の議員にも絶大な政治能力のある権力者たちを支持していたが、時の経過につれて日米軍事帝国植民地基地の移設先を県内に鞍替えした途端に、政治へ怒りをぶちまけるようになっていた。仲井真弘多氏の政治的動向に注目しながら執拗に来県して県内移設に交渉すれば、成功するであろう、という目論見である。その理由として推測されたのは、仲井真氏の一期目の県政運営には日米軍事帝国植民地要塞基地の移設先を県内外のいずれにするのか、曖昧な態度があったことと、二期目には勝ち目がないことを察して、県外移設へ方向転換した政治姿勢を示したため、官僚政治権力者たちは、幾度となく各閣僚を来県させて説得すれば、県内移設に耳を傾けることを念頭に行動していたのである。

このように官僚政治権力者たちは、九牛の一毛の県民が県外移設を訴えているにすぎないため、耳を傾ける必要はなく知らぬ顔の半兵衛をしておけばよいと高を括り理解と協力を取り付けるまではおべっかを使って対応するのがよい、と考える下心である。

名護市辺野古への移設は、普天間基地より規模は小さいと操り人形と化して表明しているが、その軍事能力は抜群に大きく、普天間基地の何百倍にもなる機動力と軍事力の条件を具備することと、国有地になってしまうため、未来永劫三〇〇年以上にわたって日米軍事帝国植民地要塞基地に使用されることになり、絶対に阻止することに全力を尽くさなければならないのである。「部分的で、一時的」であるからと嘘八百を並べて説得すれば、いずれの日にか落ち着くであろう、と予測して県民に「受け入れて戴きたい」という安易な姿勢で臨んでいるが、県民の強力な反対意思を理解しようとする態度が微塵もない日米軍事帝国植民地主義者たちの実態が浮かぶのだ。

米民政府政治顧問が、県民に対して「沖縄人は三枚舌を使う人間だ」と酷評しているが逆に罵声を浴びせる前に、日本の官僚政治権力者たちが、舌先三寸で人を操っているのは歴然たる事実となっていることを認識すべきである。この事実を肯定しないと、事と次第によっては同調していることになり、日米軍事帝国植民地要塞基地建設を承認させるまでにとぐろを巻いてじっと堪えて沖縄へ押し付ける政治的意図を企んでいるのである。

二期目の当選で、県民と政治的公約をした仲井真弘多氏は、県民の立場を尊重し、ぶれることなく県外移設へ向けて強硬姿勢で対応する重大な責任感があったのだ。県民の意思を尊重し、世界の中でも美しい宝の島と評価されていることを肝に銘記して、美しい宝の島沖縄を売ってはならないのである。頼む木の下雨漏るような政治家は、沖縄には不要な人物である。

二〇一八年八月、鬼籍に入る、偉大な政治家の翁長雄志知事が、在任中言々肺腑(げんげんはいふ)を衝(つ)く永遠に語り継がれる感動的なことばに「ウチナーンチュ、マキティーハナイビランド」の精神を県民のひとりひとりが心の糧にして、抵抗運動に一丸となって取り組めば、近き将来に光り輝く希望の星が燦然と輝く宝の島になることを期待せざるを得ないのである。

## 再び来た道を歩むな　――あなたは今、隣国と手を結ぶことができる――

前政権の超保守的内閣組織の民主党時代から日本の政治的方向は、危険極まりない暗い軍事大国へ方向転換しつつある。安倍晋三首相になって急展開にはっきりとした態度で言明している「美しい国」にするには、現在押しつけられた日本国憲法は、時代遅れで時代にそぐわないといい、また、平和教育の根本を揺るがす教育基本法を改悪することによって「美しい日本」を築くことができると断言しているのである。

また、自衛隊についても米軍事帝国植民地主義国家と密接な連携によって、敵対する国家に即座に「戦争のできる国家」にすることができるという政治的体制になっている。このように、再び過去の過ちを忘れたのか、もと来た道を辿ろうとする恐怖政治へ方向転換しつつある。

同じ超保守的政治を実行した前政権の民主党も現政権を踏襲して、同じ道を歩み寄っていたと言える。その現実として、危険な橋を一歩一歩踏み込んでいたのが沖縄にその前兆として政治的強硬姿勢で対応していたからである。

沖縄から外堀を埋める軍事植民地国家体制を敷きながら除々に内堀の本土へその輪を広げていく軍事増強の政策が、目前に危険が迫っていることを肝に感じられるのである。諺に「灯台下暗し」とあるように、国民にはじわりじわり軍事力増強の様子が率直に身を以て感じとることができていないのではないか、と疑問を抱くことがあるのだ。

沖縄に対して国内軍事帝国植民地主義の政治権力者たちによる軍事的、政治的独裁体制の支配が押し寄せていることが明確になっているということである。

その一つに普天間基地を県外と主張しているのに、権力者たちは沖縄県が「唯一の解決策だ」という強固な軍事植民地政策を押し込めて、仏の目を抜き取ったように、沖縄の巨大な軍事植民地要塞基地建設に拍車を掛けているのである。

二つには自衛隊を自然豊かで平穏な離島へ配備しつつ、日米両軍の軍事植民地訓練の繰り返しによって緊張を高めて「戦争のできる国」にしようと躍起になって、急ピッチで軍事植民地基地の建設に取り掛っている。先島に陸上自衛隊が配備された二〇一六年三月、防衛省は住民に知らせず、二〇一三年に作成した資料に「貯蔵庫施設」と明記しておきながら、ひた隠しにかくしてそれが「弾薬庫施設」という裏切りの証拠を見て、狐につままれる騙しうちにあって怒り心頭に発している。

過去の事件や事故になった場合、例えば福島原発事故で「肝心なところでごまかす異常体質の国」

と批判されたり、更に強力な軍事植民地支配にある沖縄を「日本の他の地域との扱いの差があまりにも大きい」と太鼓判を押されても沖縄が経済的に全国最下位に位置しているためなのか、軍事的、政治的に「危険を引き受ける構図は原発も基地も同じだ」と指摘されても、平気の平左の官僚政治権力者たちの軍事帝国植民地主義の醜い心となっている。

沖縄の基地に絡めて考えるあらゆる問題について「(親分) の事情を聞いてみるとやむを得なかった」と「例外的」にゴマをするように軍事帝国植民地支配に基づいた異常な発言をして、煙に巻くことが常套手段である。

三つめは、沖縄本島から四〇〇キロも離れた最南端の八重山と与那国で、二〇一二年度から使用されている中学校の公民教科書問題である。官僚政治権力者をはじめそれらを支持する御用学者や漫画家など、過去の侵略戦争で他国に多大な損害を与えたことに誠意の欠けらも無い人間がいることに唖然とするばかりである。

更にそれを証明しているのは、超保守的国会議員が、テレビのインタビューで「昔の人たちが犯した侵略戦争を、どうしていつまでも謝り続けるのか。私たち戦後世代には関係がない」と公然と答える無神経さが内閣組織の中で活動しているのである。

過去の過ちに目を覆い、再び同じ道に向かう政治的、軍事的認識で隣国に睨みを利かせると外交上未解決の問題や日本国民に対する好感にもよい結果は到底望まれないのだ。

世代を超えて未来に向かって世界の人々と「絆」の精神に身を入れ民族間の交流を活発にすれば、超保守的政治権力者たちの思考も緩和されるであろう、と思われる。

# 第五章

# 沖縄に功罪をもたらした政界の群像

## 日米共同声明に対峙し罷免された党首

### ——沖縄と共に行動する政治家——

国会議員で沖縄の「痛み」を全身に受け止めて沖縄に寄り添う社民党の福島瑞穂党首の下に結集して沖縄の日米軍事植民地主義の問題を解決しようと決意し、行動すれば必ず問題解決の前進があると確信している。

古代の女性は「太陽である」と言われるように、闘志に燃えている福島党首のような女性議員の進出と日本国憲法を重視する国会議員が増えることを切実に思う時代である。福島党首は、自由と平等に身を以て難局に当たる強烈な個性と反骨精神を抱いており、沖縄も関心と絶大な声援を送っている。沖縄の基地問題を素通りしたい政治家の中で、沖縄の解放の英雄として良き好感を与えているようである。沖縄を見捨てることなく、民主主義の理想実現のために、闘志を燃やす福島党首に限りない声援を送る。

民主党政権担当の福島党首が、鳩山由紀夫首相から辞任ではなく「罷免」という重い処罰をされてしまう。沖縄県民は、その処罰に対して「怒り」に満ち溢れた憤りを浴びせている。それに対し「喜びと微笑」を浮かべる日米軍事帝国植民地主義者たちの内心の嘲笑う姿が目に浮かぶのである。

国民と沖縄から益々掛け離れていく鳩山首相とその関係の閣僚たちには、沖縄の現実を理解しようとしない消極的行動から民族的差別主義に成り下がり、沖縄に熱意のこもった閣僚は見当たらない。だが、福島党首は「自由と平等そして平和」を掲げて沖縄の先頭に立って、勇気をもって行動することに沖縄の「自由の女神」となるであろうと期待している。それにかてて加えて、政治信念の「公正で思いやりのある政治」を実現している人権思想を注視する国会議員である。このように、政治信念を抱いて「悪政と束縛」の官僚政治権力者たちから解放されることを目指して、全国民が党首と共に一致団結し、真に迫った民主主義国家になることに精魂をかたむける必要になっている。

福島党首を罷免した二日後、鳩山首相の「命を大切にする政治をする」という声明は、真の意味の日本国民及び沖縄県民の「命を大切にする政治」には程遠く信頼感は揺らぐのみである。言行不一致で信頼できない二一世紀初頭の暴君政治家に成り下がってしまったのであろうか。これとは対象的に、ことばに責任を持つ政治を実行しようと決意のこもった福島党首の発言には、沖縄県民として心服の信頼感に溢れた内容の発言が多い、と言えるようである。国会議員の中で、沖縄県民の全身の痛みを、自分自身の痛みとして肌に感じている政党は、社民党であり、その党の福島党首こそ、国会議員に相応しいと言えるようだ。

今世紀における沖縄の歴史の中で、人権尊重に闘志を燃やす福島党首の日米共同声明に対する署名拒絶の抵抗精神は、沖縄の歴史に記録として刻まれてよいのである。また、将来には社民党を軸にした政権が誕生することによって、沖縄に「自由と平和」の権利が保障されることになる。なぜならば、今の日米軍事帝国植民地主義の政権の支配下で「人権保障」の規定は、無視されているからである。

社民党は、真正面から国民や沖縄の側に立って抵抗し、解決への道を切り開く政党であると確信している。

沖縄県民が信頼する福島党首を罷免した鳩山首相は「罷免主義を好む政治家」と評価されても致し方ないであろう。抵抗し反逆する者を「切り捨て御免」の政治の風土病的精神である、と言わざるを得ない。鳩山首相は、確かに話し方として上手で流暢であるが、沖縄問題に関して中身のない内容であるため、県民には深い失望感を与える発言である。「公僕の服の下からよろいが見える」政治政策に「宇宙人」に相応しい宇宙人と評されることに理解できないことはないのである。

鳩山政権の各官僚や民主党の国会議員には期待外れで、時代掛かった見栄を切る政治感覚があり、かつ嘘つきで無責任の政党内閣に成り下がってしまったため、政治に対する無関心さが国民や沖縄に広がったことの事実を認識しなければならず、その政治的責任は計り知れないほど大きいのである。

民主党政権は前政権と同じ政治の道に向かっていて、国民や沖縄からの支持率も依然として低空を続けている。福島党首を罷免した裏切り政権は、地獄へまっしぐらに落ちていく以外に道はない。沖縄が、前政権と同様に悪魔の政治集団と見做しているのは政治的運命に辿りつつあるからである。

鳩山首相は、坊ちゃん育ちと言われているので、東京の永田町から遠心距離に位置する沖縄の現実の深刻さについては差別主義の思想を身につけているのであろうか、と推測するのである。沖縄県民の「全身の痛み」や日米軍事帝国植民地支配に怯える「苦しみ」には、全く無頓着であると同時に、何にも分からない勉強もしない無知なる発想による「辺野古」という三文字を挿入して、県民へ反逆精神を露骨に示している。

沖縄県民の心をよく理解してその意志を尊重し、沖縄の痛みや苦しみを全身に受け止めて「日米共同声明」の同意に書名拒否した報復手段で罷免された福島党首の行動は、政治家の指導者としての資質を備えた良き手本となっている。官僚政治権力者たちの中で、渾身の力をこめて解決しようと意欲のない中で、福島党首の行動が日本の未来を創造し、国民や沖縄に明るい政治的希望を与えている。

福島瑞穂党首は、沖縄県民の「太陽」となって希望に輝く軍事植民地基地のない宝の島になることに力を入れてくれるであろう。

## 党籍を離脱した国会議員の波紋
### ——沖縄に寄り添う政治家として——

社民党が民主党と連立政権を担当していた当時、国土交通省の副大臣として起用され、最高の地位にまで昇りつめた辻元清美衆議院議員が離党を表明した。社民党の次期党首として最有力視されていたが、党首よりは内閣組織の大臣の身分に魅力があるため、国会議員の憧れになっている大臣の椅子に未練があったのであろう、と当然ながら推測するのである。

社民党の連立政権担当は、画期的な出来事であったため、その期待感は政治的に大きかったのである。国会議員になれば、次は内閣組織の大臣になることが羨望の的にもなるので、地元出身地の講演会や住民の誇りにもなって大臣として期待に添うために努力することになる。

辻元議員の党籍離脱による沖縄県民への失望と落胆の傷痕は大きな影響を与えている。参議院選挙のあった二〇一〇年七月、沖縄から立候補した現平和運動センター議長の山城博治氏の応援弁士にかけつけて、沖縄のために精根を注いで国会活動をしてくれることを感じていたからである。辻元議員の離党に反響を呼んだことは政治的に意義があると思われる理由が幾つもあるようであるが、その一つとして考えられるのは、社民党の福島瑞穂党首が、鳩山由紀夫首相に罷免された主な原因が「日米共同声明」の署名拒否によるものだったことである。政権担当の社民党も同時に政権から離脱したため、将来に向けての党の存続に不安を抱く党員も少なからずいた、ということである。その結果、辻元議員も副大臣の要職を離れる状況になってしまったのであろうと思われる。

辻元議員の辞任発表の当日、国会の廊下での記者会見で心境を問われて涙ぐむ表情から悔しく苦痛に満ちた姿が印象に残っている。辞任から二ヵ月経過して、熟慮の末に決断しての結果、二〇一〇年七月に離党を決断している。沖縄の現実問題についての認識は、社民党の重要方針であるため、副大臣の地位にあった辻元議員として、この問題に深く触れたくなかったと思われる。離党の理由として心の奥には野党に転落するともう二度と理想の頂点に達することはないという悩みもある。夢を叶えた瞬間に辞任し、政権脱落した結果には政治家として後悔も深刻になるであろう。参議院で議席を失ったことに対して、党の再建にどう対応していくのか、数すくない党員で徹底的に議論し、追求して立て直す意気込みに奮闘することに期待していたのである。また、党のあり方に危機感を抱いていたと思われるので、努力に努力を重ねて再建の見通しに不可能と判断して党の執行部に意思表示をしたのであればその離党の苦悩も理解できる。

辻元議員は、大阪一〇区から衆議院選挙区で、四回当選している実力派の政治家であるので、後援会として最高の地位に達したことにより、議員には限りない期待感が寄せられていたのである。そのことで沖縄の普天間基地問題で社民党の連立政権から離脱の結果に対して、後援会も不満で我慢も最高潮に達していたので、当の本人も陰ながら離党を暗示していたと思われる。離党すれば、内閣辞任も自然の成り行きにまかせる以外にない。

辻元議員は、党内では実力者としての存在感があったので、党執行部の参議院選の敗北の総括をしないという不満は表面的な問題であるかも知れない。党内での発言力は大きかったと思われるが、辻本議員の意見が通らない理由は考えられないのである。また、政権離脱を主張したのは、沖縄県議会議員や県出身の国会議員の強固姿勢で離脱に踏み切らせたことに不快感もあったようであるが、しかし沖縄県側の立場には理解することには異論はない、と思われる。

ここで立ち止まって考える必要がある。国会議員の重要課題政策は、国内問題として国民の生活、平和、人権を守ることなので、現在では世界規模の広い視野で外交問題を考える政治が重要になっている。複雑極まりない人類未来が不安定な時代になりつつあることに、真剣に取り組まない限り、世の中の先行きが読めない暗い時代に向いつつある現実を食い止める国民的大規模の啓蒙運動の必要性が問われていることに直面しているようである。

外交問題については、後進国並みの水準であると評されているようだ。なぜならば、沖縄の日米軍事帝国植民地政策の解決に真剣に取り組もうとしない保守的官僚政治権力者たちの政治姿勢は、政治家としての役割りを沖縄県民に寄り添って解決しようという精神的行動力が全く感じられないからである。辻元議員が、沖縄の普天間基地に触れたくないという気持ちがあって離党したとは考えられないが、そうであれば政治家として沖縄から失格者と評価されるかも知れないのである。

国会議員を四期も務めて社民党の歴史と共に歩み、政治家としての名声の高い人が離党に踏み切ったのは、政治的信念とも言える政治的理想、理念、哲学が失われてはならないということになるであろう。

過去にも社民党から党籍を離脱して勝手気ままな行動をして沖縄県民から信頼を失い不評を買った沖縄選出の国会議員もいるので辻元議員も党の再建に情熱を燃やすべき政治的実力者であるから、その存在は余りにも大きかったため、離党したことに県民の落胆も計り知れないほど大きい問題であったと言えるのである。

## 開けて悔しい玉手箱のむなしさ
### ——綸言汗の如しの政治信念を身につけるべし——

政権担当の座についた鳩山政権は、移設を「最低でも県外」と言明したが、他の閣僚たちの圧力に屈し、二〇一〇年五月に「日米共同声明」になってしまった原因として首相の座を下りたが、その後菅直人政権になると「見直し」を嫌い、政権担当して即座に米軍事帝国植民地主義者に「日米共同声明」を発表して「深化」させることを誓っている。

この「深化」の意味は、沖縄の将来を左右する危険極まりない差別用語となっている。これから判断すると、国内軍事帝国植民地主義の官僚政治権力者たちは「深化」の真の内容に、新型の日米軍事帝国植民地基地を沖縄の辺野古に建設して、親分の米軍に御機嫌を損なわないためには「よくやった」と言われる気持ちが強く働くため、沖縄をアメとムチでこれでもかと追い詰めていくことがこの「深化」の真の意味を含んでいるのである。

鳩山内閣は「舟に刻みて剣を求む」ことを知ろうとしない政治集団の組織となっている。閣僚たちには主体的に問題解決の前途が見えず「窮鼠却って猫を噛む」ような状況をつくってしまい「四面楚歌」に落ちて行き場がなく二〇一〇年五月の移設に鞍替えして「日米共同声明」となっている。そのために沖縄県民の政治不信は極端に強くなり、選挙の不投票が全国的に落ち込んでおり、政治的責任は非常に重いのである。官僚政治権力者たちは、国民の不投票の増加に対して、深刻に考えてその対策をとる気配はない。これが民主主義の根本精神をすすめようとしない不思議な日本の民主主義制度の状況なのか日本の政治風土に根付くことはできていない。言霊の幸わう国という日本の美称に反する。

鳩山内閣の組閣の中で意見の食い違いが浮き彫りになって、国民に不愉快な感情を与えているのは政治内部での対立に国民の生活へ甚大な悪影響を及ぼすからである。

鳩山首相は「人間はウソをついてはならない」と言うことを常に肝に銘じている政治家で思いやりのある人柄の面がある。しかし、日米軍事帝国植民地基地の移設先を「県外」と明言して、土壇場になって「県内移設」に政治的変更したことは裏切りであり、「ウソをつくな」という信念のこもった言葉の真実性に疑問を抱かざるを得ないのである。

短い政権担当の八ヵ月で政界から責任を追及されて退陣の窮地に追い込まれた鳩山首相が、首相の座から下りた辞任後の動きとして政界から引退表明したが、喉のかわかない中に再び前言を翻して、自分が政界に留まらないと政治の方向を見誤ると言って立候補の表明をしている。退陣後の政界の動きを観察して政治の方向性に不安と疑問を抱かせたことが取消しの理由であったのであろうか。

政治家の政治的倫理として、綸言汗の如しの信念を身につけて政治活動すれば、こうした発言をしないですむし、国民や沖縄県民から嘲笑されないのに、政治家の政治的発言の内容は最後の最後まで理解できないようだ。だから国民や沖縄を甘い言葉で騙したことに責任を感じないと政治への信頼が失われる。

政治家の言動には、国民や沖縄は敏感に反応するので、自分自身の言葉には信念のこもった政治活動をすべきである。南米ウルグアイの政治指導者が「信念があれば人間は強い動物である」と名言をはいている。政治家がいったん裏切りの行為や暴言をはくと、大きな影響を与えるため、注意深く慎重に事を運ぶことである。国民から信頼されて当選したことを日頃から自覚していると浅はかで乱暴な振る舞いはできないのが政治家としての倫理観である。

鳩山内閣から二〇一〇年六月、菅直人内閣になって、ますます沖縄の日米軍事帝国植民地基地の問題解決は、外政内政とも困難な政治的状況に直面することを予感するため、危惧の念を強く抱いているのである。その理由として、現実の政治変化の問題に菅内閣の人事には鳩山内閣の人事ポストとは全く変動がないからである。

菅内閣組織に全く変動のないポストに入閣した大臣は、菅首相からその人でなければ沖縄問題を解決することは不可能であると認められているので、米軍事帝国植民地政策として「深化」の約束を揺るぎないものにするためには、他に適任者がいないと判断しているようである。鳩山内閣時代から第二次菅内閣までの経過に、閣僚として就任した大臣たちは当初より益々有頂天になり、自分でなければ沖縄問題は解決できないという意識が強硬姿勢となって沖縄の数々の「民意」は、もう彼等の頭の中には一欠片もないのである。沖縄の基地問題に対する強硬論には諦めずその地位にいる大臣の心を揺るがすには、沖縄県民のひとりひとりが強固な抵抗精神を持ち、勝利まで諦めない精神力を持ち続けるという信念を曲げないことが重要となっている。

フランスの英雄、ナポレオンは「勝利は最も根気のある者にもたらされる」と言ったが沖縄県民に贈られたような気持ちになるのである。

二〇一〇年六月、鳩山内閣は退陣したが、組閣時代は閣僚全員が揃って首相と共に「すくなくても県外だ」と主張して「理解と協力を得る」沖縄県民に「寄り添う」心が一致していたならば、辺野古の日米軍事帝国植民地基地建設について政治的課題にはならなかったのは言うまでもないのだ。「すくなくても県外だ」が覆されたため、当時の仲井真知事もついに二〇一二年一二月、第二次安倍晋三政権になった時点で「県外移設」へ舵をきってしまったのである。

鳩山内閣が組閣された瞬間、心にひらめいたのは一諾千金の信念で沖縄問題を解決してくれるであろうと一抹の不安はあったが、期待感は大きかったのである。しかし、束の間の期待感も開けて悔しい玉手箱のむなしさの心になったが、退陣後の鳩山氏は、沖縄県民に対する反省の色が強く働いたのか県民に「寄り添い」ながら、問題解決にすこしでも役立てることができればよい、ということで、沖縄に誠意的根拠を構えて役立てようとする政治的信念をもっているようである。辺野古での抗議集会にも積極的に参加したり、基地問題に関する抗議集会に参加して、沖縄と共に「民意」を尊重しながら問題解決しようと一歩でも前に出るような行動をしている。

「豊かな海、命のふるさと」の宝の島沖縄に殺人鬼の日米軍事植民地基地の存在と新基地建設は、沖縄の本来の歴史の真実にそぐわないのだ。全国民が沖縄に「寄り添う」気持ちになって行動を共にし、根気のある者に勝利の幸運をもたらすことをかみ締めながら、軍事大国に歯止めをかける平和な社会環境を築かなければならず、後悔先に立たずにしてはならないのである。

## 実力よりも肩書きが物を言う政界

### ――沖縄の一斑を見て全豹を卜（ぼく）するなかれ――

国内軍事帝国植民地主義の官僚政治権力者たちの沖縄に対する政治的圧力政策は、例えば現代の子供たちに親が我欲に満ちた押しつけの感情で執拗に主張すると、それに対する子供たちの行動は猛反撃に出て、重大な事件に発展することがある。沖縄に対する官僚政治権力者たちは、辺野古移設への押し付けがましい強硬手段で次から次へと、あの手この手で攻める政治的圧力政策に対し、沖縄が猛反発していることを子供たちの立場になって認識すべきである。

官僚政治権力者たちは、国全体の軍事専門家としての知識をもっているであろうが、基地集中の沖縄の日米軍事帝国植民地基地については、無知なる知識で理解している政治的軍事的側面がある。脳神経に問題があると、政権担当誕生の当初から連続して共通した認識で、沖縄を軍事力で防衛しようとする政治的行為は、沖縄に最大の不幸をもたらす可能性がある。それは沖縄の地上戦の悲劇から現在の日米軍事帝国植民地基地による事件や事故が証明している。そうした観点から、沖縄に積悪の運命をもたらす日米の基地撤去と辺野古への基地建設の断念を全面的に解決する意志をもつ政権が、政治担当に就くべきである。すなわち平和憲法一四条の「法の下の平等」主義に立ち、政治的実行のためには差別万能至上主義がひらめくことのない政治家が内閣を組織することが国民や沖縄に幸福をもたらすことができるのである。

沖縄の現実に知識の乏しい官僚政治権力者たちは、異口同音に「日米合意を前提に基づいて進めていく」ために「全国民に理解させたい」と主張するが、沖縄県民に理解させることのできない人物がどうして全国民に理解させることができるのか。沖縄の数々の選挙で圧倒的支持の「民意」を尊重しない官僚政治権力者たちが、全国民に働きかけても協力精神は期待できるものではない。

官僚政治権力者たちは、どれほど沖縄の基地による被害状況の現実を理解しているのか理解していれば、沖縄を足枷にしている「地位協定」を即座に見直す作業に取り掛かるのが政治的自然の姿である。それに加えて、毎年「慰霊の日」を迎えて沖縄全島悲しみに沈んでいる中で、今年は特に安倍晋三首相や幹事長が参列しているので、辺野古の陸と海に寄り添う意思があれば、現地をつぶさに視察すべきだがそれもなく、式典が終了すると東京の永田町へ日帰りするのは、何の意味もないのである。いずれの官僚政治権力者たちも「理解と協力」を得るために誠心誠意で沖縄の立場を理解したいと言うが、これまでの例えば、防衛相の小学校高学年程度の知識しかないような発言では、どうして沖縄の「理解と協力」が得られると思っているのか、甚だ疑問である。沖縄県民の八〇％以上が日米軍事帝国植民地基地撤去と新型の要塞基地建設の反対を主張している現実を認識するには、家族ぐるみで約一ヵ月以上滞在すれば、沖縄の現状を理解することになるかも知れない。雲の上から見下してペーパーでの知識をたよりに、命令口調で「負担軽減」という政治的、軍事的常套語を使って、沖縄県民の頭を撫でながら説得しようとするのは、現時点では不可能である。

日米軍事帝国植民地基地を永久に堅持するには、沖縄視察が報道されて一歩足を踏み込んだ瞬間からその動向を綿密に観察し追い掛けることに集中する。特別に基地視察をすることになると、滞在中の軍事訓練の一時中止状態になるので、防衛相の場合、現実の状況を身に沁みて感じる様子がないのか、普天間基地を視察しての感想に「すぐ頭上にヘリコプターが降ってくるというが、そういうケースはそんなに多い訳じゃないでしょう」と推量した言い方に対して厳しく追及されると前言をひるがえして「そのような発言はしていない」と言葉を濁した態度に変わるのだ。

なぜ、沖縄県民は騒音に悩まされている原因を理由に訴訟を起こす実行に踏み切らなければならないのか。「そんなに多い訳じゃない」ならば、騒音公害に悩まされることはないと思っている防衛相の無知な知識である。軍事訓練の機種を問わず、爆音をまき散らさないと訓練にはならないということは、防衛省担当者たちは熟知しているのか分からないが、沖縄県民の立場に視点を置いて判断することを真剣に考えていないだけである。

権力の座に君臨する防衛相は、例えば田中角栄元首相のように「政治家として類稀なる勉強家」として尊敬している姿勢であれば、沖縄について「類稀な勉強」をしている筈であるのにそうではない政治家もいるのである。その例の防衛相は、家族揃って毎年、沖縄旅行しているようで、その島の状況には詳しいと思われるが、そこをどう錯覚しているのか沖縄本島北部の海洋水族館を間違えて「石垣島には海洋水族館がある」と言ってみたり、また東京都に属している日米両軍の激戦地の硫黄島を沖縄県の島と間違えたりしていて見識のないことに唖然として立ちつくすのである。その地位にある政治家は、防衛上詳細に地図の位置を知る当然の知識が必要であるにもかかわらず「類稀な知識」を身につけていないのである。その前任の防衛相も同等のレベルしかなく、身に入れるべき知識を高めようとしないため「防衛の素人である」と自ら広言をはき国民や県民から嘲笑される羽目になるのである。

新型の日米軍事帝国植民地基地建設を沖縄に押しつけて、がむしゃらに沖縄の立場になったような言葉を巧みに使用するが、いざ建設してしまうと、自由自在に使い熟してきた過去の軍事帝国植民地政策の事実を将来にわたって更に二〇〇年以上の耐久力のある軍事帝国植民地要塞基地による苦悩を与えられることを真剣に立ち止まって考えることである。

防衛省傘下の官僚事務関係の役人たちが、永田町で勤務している間は人格的に高い能力者として評価されているが、沖縄に勤務して沖縄の現実を知るにつれて米軍事帝国植民地主義の支配者たちに歩調をあわせて物を考えるようになり、沖縄県民の命を守ることを重点的に判断するのは二の次になるようだ。君臣水魚の術中にはまって徹底した同調追随主義におちた沖縄防衛局の人間は、県民に不幸をもたらす悪魔的存在の役人になってしまうようである。

沖縄勤務期間中に意識改革を余儀なくされるのか血も涙もない心の汚れた性格になり、悪いことを身につけて暴言を吐いたり、あるいは自衛隊法、国家公務員法、公職選挙法という厳格な法律を自覚していといいながら違法行為も沖縄で犯して悪徳政治的公務員になってしまうようである。

日米軍事帝国植民地主義の軍隊が、沖縄に駐留しているのは異常な社会環境である。その目的は、資本主義国家に対抗する共産主義国家を撃滅することを目標にしているのが沖縄の基地の存在になっている。そのうえ、新型の日米軍事帝国植民地要塞基地を、名護市辺野古に建設されると、益々その目的が好戦的になってくることを予想するのである。

沖縄県民は、いずれの主義主張にも賛同の意を現さない徳性を養っている民族である。対立すれば、争いの原因になるから争いごとの嫌いな民族意識を先祖伝来から引き継がれているのは沖縄の地上戦で嫌というほど体験を積み重ねていることで理解できる。沖縄には昔から語り継がれている「意地ぬ出じらは手引け、手の出じらは意地引け」という格言がある。「守礼の邦」という伝統的、精神的教訓となって沖縄民族の心の中に宿っている。

日米軍事帝国植民地政策の支配による政治的苦難の歴史をたどっている沖縄県民がこの格言を生かすには、名護市の辺野古の軍事帝国植民地基地建設と既存の軍事帝国植民地基地撤去の意志を生かすことになると考えられるのである。これらの基地が全面撤去され、辺野古も完全に断念させることによって、この教訓もまさに「沖縄の黄金言葉」になって伝承されることになる。

日本の政治形態で、政権交代してもその背後で政界を操る黒幕の官僚政治組織の体質を抹消しない限り、日本の行政機構は変化がなく期待できるものではない。いずれにせよ、官僚政治権力者の首相が、沖縄の基地問題に言及して演説すると国民と沖縄の九牛の一毛の県民が、それに同調して基地被害を受けても、深刻な軍事的、政治的問題として理解しようという真剣さがなく、かつ行動に移すことに積極性がないだけである。また、国民の中には知ろうという意識も低く、知ったからと言って問題解決への連帯意識もないのがヤマトンチューの沖縄への視線にもなっている。

サブタイトルにした有名なこの句は、沖縄を理解しようとしない官僚政治権力者たちの言動に沖縄の格言「墨は知っち、物知らん」という内容に酷似している。沖縄の実情に疎いから単調な発言の繰り返しになり、それが決まり文句を並べる発言になるのである。だから沖縄から不平不満を打ちのめされても、平然と構える顔付きになるのである。

沖縄県民からこのような感情をもたれると表面上「しまった」という表情になるが、内心は嘲り笑っているのがその本質的な正体である。沖縄には人間関係がスムーズになるように「言葉は銭使え」という戒めの格言があるが、官僚政治権力者たちには舌禍に慎重さがあれば、沖縄の現実を理解する一歩にもなるのである。

沖縄県民が一丸となって、来県目的に「理解と協力」を得られないように、玉城デーニー知事を先頭に、渾身の力をこめて諦めず抵精神に基づく抵抗運動こそ、子や孫のために残すべき財産としなければならない。

# 政界の争いは国民に毒である　——犬猿の仲の政治的対決を注視する——

## 一、党代表選出に向けての政界

幹事長の小沢一郎氏が「政治は私一人でいくら頑張ってもできない。志を同じくする同志が沢山いて同志と力を合わせて初めて実現できるのが民主主義だ」と主張する。沖縄に強固政策をとる政権下の党員全員による圧力と差別が潜んでいるから誰ひとりとして、沖縄の軍事植民地基地について一言も触れない素通りの政治となっている。「志を同じくする同志が沢山いる」から政治ができるのであるから党員の大多数が問題解決の意欲を燃やすこともなく、ひたすら基地政策の矛盾を押し込めることの政策方針には民主主義の原理は存在しないのである。

菅直人政権当時、沖縄の「基地負担軽減」と口ずさんでいたが、肝心要の普天間基地を県内移設する基地の構造を明確にせず、ただの新基地と胡麻をすって誤魔化して県民に詳細に説明しないのである。

日米軍事帝国植民地主義者たちは、沖縄を騙す手段の一つに軍事用語を頻繁に使って沖縄県民を騙し討ちにして理解させようとするが、民主主義の根本原理を無視した発言の繰り返しには沖縄では堂々と発言する傾向がある。二〇一〇年九月、菅直人氏と小沢一郎氏による党代表の選挙があって、菅氏が当選して鳩山政権と交代した瞬間、間髪を入れず普天間基地を「県内移設する」と主張して、すぐさまオバマ大統領に報告をして、沖縄を門外扱いにしてしまったのである。

沖縄県民の県内移設反対の意思表示をしている民意の立場も考えず「目に見える形で軽減措置をとる」とか「国民の理解を求める」と言って、県民の強固な反対決意を和らげようと意気込む醜い心が感じられるのである。沖縄県民は、こうした醜い言動に対してうっかりして甘い口車に乗せられてはならない。

菅直人氏のいう「目に見える形」とは何かを吟味すると、巨大な日米軍事帝国植民地基地が不運にして建設された場合、果して軽減になるのか、甚だ疑問である。新型の悪魔機オスプレイ配備のための基地建設負担は、益々重くなることを軽率な判断をして問題を投げ付ける政治的、軍事的圧力政策に注意することである。

菅直人内閣の右腕として活躍する担当の閣僚も同じ発想で物事を処理する政治的感覚を持っている。なぜならば「国民の財産、生命をどう守るのか、安全保障をどう堅持するのか」という発言で、基地問題を解決しようとしている。菅内閣では、沖縄の基地問題を解決する糸口を見出すのは可能性がないので、小沢一郎内閣によって組閣し、党代表になれば、沖縄の基地問題に見直しを検討する成功の望みなきにあらず、と期待する沖縄県民の立場である。その理由として、幹事長時代に「普天間基地の県内移設反対」して見直しを主張していたので、首相になると果して言行一致になるのか疑問ではあるが、党の中では最も期待する人物である。もし逆の方向に政策転換すれば、国民や沖縄県民は政治運営のあり方に非情な不快感を抱くのは当然の結論が出るに違いない。この不快感が的中したならば、前政権の自民党も勿論のこと、この二代政党を除外した他の野党側に大きな期待を寄せることになる。

平和憲法を擁護する政党に政権担当させることで、国内外に著しい影響を与え、平和国家へ進んでいくことは必然的である。平和憲法を遵守しない政権には、期待することは何もないし、また沖縄の日米軍事帝国植民地基地の解決をすることには期待できないのだ。政治的、軍事的目標を戦争遂行にしている日米軍事帝国植民地主義国家の基地が沖縄に存在する限り、基地撤去闘争は県民の宿命となってしまう。平和憲法の下で子や孫のために一刻も早くその宿命を断ち切ることに沖縄の目標がある。そうすることによって、基地に関する嫌な問題もマスコミ報道機関から完全に断ち切ることができ、それが本来の平和環境に望みをかける沖縄の未来像となっている。

## 二、党首代表の時の権力者となった人間像

鳩山政権時代の危険な閣僚たちは、菅直人政権の閣僚としてそのまま入閣しているため沖縄県民には常時、軍事的にも政治的にも緊張感に悩まされることを意識する。こうした閣僚たちを根こそぎ捥ぎ取るには抵抗意識を失うことなく、いつでも即座に抗議行動の態勢を整えておくことが肝要である。

菅内閣の前後を問わず「日米合意を踏まえ沖縄の基地負担をいかに軽減するか、経済復興と合わせて沖縄の皆さんの理解を得られるように努力したい」と述べたり「謝るべきところは謝り、辺野古移

設が少なくとも今の普天間基地より危険性が少なくなることを説明したい」と繰り返して同じ内容のことばかりを述べている。官僚政治権力者になると、基地による事件や事故の被害状況を全く肌で感じないからこんな発言の繰り返しになるのだ。

菅直人首相は「琉球処分の本を読んだ」と自負しているが、近現代史を読んで血が通うことになると、沖縄の強烈な「民意」を尊重し、歴史的苦難の道を歩んできた沖縄県民の人権と平和を確立するために、焦点を絞って日米軍事帝国植民地基地を解決する政治的意欲が即座に出るであろうがそうではないのである。本を読んだその成果の「県民感情に配慮する」という中身は何か。「時間をかけて基地問題を解決する」というのは、沖縄の意思通りに解決しなければ県民の心を無視した態度であり、嘘八百を並べていることになる。攻撃の手を緩めず「辺野古移設がベター」であるとか「辺野古案は多くの点で普天間基地の危険性を大きく除去する」という発言の内面に奥深く隠れている政治的、軍事的政策に注視することである。

菅首相は、社会派議員としてよい印象を与えていたが、内閣を組閣するとすぐさま豹変して、当初の政治的思考から全く掛け離れた異質の人物に転化している。こうした手品師的な悪徳政治家の暗示に引っ掛かってはならないのである。沖縄の基地問題になると、強権的発想で沖縄県民に対応する他の閣僚たちも同様の政治的行動で解決しようとするため、官僚政治権力者に対し経済的振興にだけ目を注ぐのではなく、その裏の政策に関心を寄せることによって、沖縄の未来に光を当てることができると確信するのである。

多額の税金を使って沖縄に来る閣僚たちが面談する相手には、仲井真知事と在沖米四軍調整官のみである。沖縄県民は、名護市長と県議会議員との面談を希望していたが、それを嫌って同調主義とみられる知事との面談を「大きな一歩となった」と判断するのは、無用の長物の政治的能力というべきである。これは紛れもない異民族的な見方を変える官僚政治権力者たちの本質を突いているのである。

来県の繰り返しも沖縄からまともな解決策を示さないため「着地点が全く見えない、何度も通えば心を開いてくれるのか」と愚痴をこぼしたり、また然うは問屋が卸さないにもかかわらず「地元の論調を知りたい」という以前に、沖縄の最大級の「民意」で反対の意思表示が何を意味しているのか理解しようとする真剣さは皆無に等しいのである。

一九九〇年一二月、コザ騒動について当時事故処理をしたMPが「沖縄の人が怒るのも無理はなかった。戦後、米兵たちは沖縄の人を人間以下に扱い、あまりにもひどいことをしていた」と言い、更に「占領下では沖縄の人々に捜査権も裁判権もない。軍事裁判で無罪になるケースも少なくなかった」と述べている。米軍事帝国植民地支配から解放されて自由と平和を求め、民主主義に基づいた人権尊重の国家の下に保障される希望を抱いて日本復帰したが、その後も依然として政治的、軍事的圧力主義に苦悩している現実の沖縄について、MPの証言した当時の状況と全く変化がない。政治的原点を忘れた政権担当の政治権力者たちによるマニフェストの波紋が明確になったのは事実である。その結果、沖縄が日本一運の悪い県になろうとしている。沖縄県民の強固な「民意」を尊重することは、民主主義制度の下で最も基本的要素の一つであるが、これを無視する政治的圧力主義の策略で沖縄に対応する政権にはうんざりする。

沖縄県民の「民意」を置きざりにして政治的圧力が増すと、その罰として政治的運命の断末魔の叫び声をあげるのは時間の問題となるのは歴史が証明している。沖縄の日米軍事帝国植民地基地の問題点を無視して強力な政治的、軍事的圧迫感を与える政治政策は、内部の党員からの不満として「本来の政治と掛け離れた菅直人政権にはもう黙ってはいられない」と主張して、会派を離脱するのは、当然の結果となるのは時期的に遅いと言えるのである。

日本国憲法を忠実に守り、国民の権利と義務を尊重して、国民による国民のための政治を実行する正常な政治活動への期待感が高まっている。

既存の政権担当以外に政権を譲ることにより、政治も安定することを認識する国民の意識改革が必要となる時代を迎えつつある。と言うのは「安保」ではなく日本国憲法の優位性を尊重する政党こそ、国民や沖縄の政治的信頼にこたえることになるのだと政治的信念を抱いているからである。

## 三、国民によって選ばれた者が総理となる

国の政治的最高責任者の内閣総理大臣の最良の選出方法は、全国民による直接選挙で決定する選挙方法が、民主主義制度の理念に適っている。現在の国会議員の過半数を獲得した政党の中から選出する方法には、独断的な政治運営であるので、国民から遠く掛け離れた政治活動に傾いていることで国民の大多数が政治への無関心による選挙権放棄をしている状況が続いている。そこで政治への信頼回復と民主主義国家の政治形態には、現憲法の条文六七条に規定されている選出方法ではなく、全国民

の有権者による直接的な国民投票が望ましい。その頂点に立つ内閣総理大臣は、責任と国民的連帯感を強く自覚して、国民のひとりひとりの人権や財産を守る気概が一層強く心の中に刻み込まれて、安全で平和国家の建設に政治を進めていくことが期待できる。そうした制度改革によって国民の政治への関心も高くなるのは外国の例で理解できる。

「豊かな海、命のふるさと」の拠り所となっている豊かな海から恵みを受けて沖縄の人々の生活を育んできている世界的にも自然環境に恵まれた名護市辺野古の海と陸に、二〇〇年以上の耐久力のある巨大な日米軍事帝国植民地基地の建設に対し総力をあげて反対の意思表示をしている沖縄県民は、民主主義制度に基づいた民主的選挙による「民意」実現の民主的信念で抵抗運動を続けている。

真正な権利行使によって勝ち取った選挙結果の「民意」に侮辱のまなざしを向ける官僚政治権力者たちは、正に独裁主義国家体制に政策転換している。

沖縄の政治的、軍事的政策に対する闘争から、権力暴走を食い止めるのは、全国民による選挙方法によって選出された内閣総理大臣であり、福島原発事故の教訓として既存の原発廃炉と再稼働を阻止することも容易に解決する可能性もある。

社会的に安定し、平穏無事に暮らす社会環境を乱す政治的、軍事的行為の追求にも責任を感じることに強い意志が働き、国民や沖縄の声にも傾けることに心が動くことにもなる。

# 阿漕なことを言う政治権力者の実体

## ——お金好きの我利我利亡者は危険——

二〇一〇年五月の「日米共同声明」発表前に政界の実力者として将来に嘱望されていた例の国土交通相は沈黙をしていたが、第二次菅直人内閣が成立して外務大臣の地位に就いた直後に、沈黙の殻を破って「沈黙の刺客」としての正体が浮き彫りになり話題になったのである。沖縄の基地に対して、間髪を容れず普天間基地を県内移設にすることに強力で高圧的発言に注目を集めたのである。

時の経過にしたがって雲行きがあやしくなったのは二〇一〇年八月、当時の名護市長比嘉鉄也氏を筆頭に辺野古区長及び名護漁業組合長のメンバーを、永田町に呼び出したために沖縄県民は緊張感がみなぎったことを記憶している。出席は自由であっても、その当時は県内移設をめぐって沖縄全体が緊迫した状況にある時機だったため、出席して会談の口車に乗せられることに腹の虫が承知しない沖縄の感情であったのである。その主な会談内容は、普天間基地の移設先を辺野古にする、という意見交換であったようである。

高級料亭で高級料理を食べさせられて高級なお膳立てをされると、納得した表情につられて高級なお土産までプレゼントされて拒否することはないので、当の本人たちは満足感に浸っている雰囲気を想像するのである。不可解な行動を想像するのは、普通の生活にもどった人たちに、なぜ会談を持ち掛けるのか理解は容易であるが、市長の座から降りれば「ただの市民」であるにもかかわらず、想定内であるのにどういう企みで東京へ呼ぶのか沖縄県民として黙認することはできない。

民主党政権当時は、堂々と公約を守れなかったため、秘密裏に根回しの裏面工作をする不思議な現象をたどりつつあったようである。都合のよい政策は公表するが、都合の悪い政策には国民や沖縄が感知しない限り、胸の奥底にしまいこむ政治手段にどうして支持を得られるのか、ここに政治不信を招く最大の原因があり、若者の政治への関心も低くなっている現実がある。

政権担当に就くと、政治的行為にどうして強硬手段の体質をもった政治家になるのか、或いは内面的に秘めた政治的エネルギーを使って自分の計画した政治的指針を強硬に実現しようとする政治的姿勢に転化するのか、こうした現実的な兆候が、官僚政治権力者になる醜い政治家の体質である。こういう政治家たちが来県する根底には、いつも疑念を抱かせるのである。また、政治的企みのある行動に「沖縄へ何を要求に来るのか」という疑問が必然的に頭をかすめるのである。

官僚政治権力者たちが「基地集中に謝罪したい」ために来県するが、この「謝罪」を真面目に感じているならば、沖縄県民の一連の抵抗運動と過去の幾多の選挙で勝利した「民意」による県内移設への反対を、真剣に意識して県民の意思を尊重すれば「そうであったのか」という謝罪が頭脳に深く叩き込まれ、辺野古の日米軍事帝国植民地要塞基地建設の反対に「理解と協力」を要求しない、という民主主義国家の政治的方針になるのである。

官僚政治権力者の誰ひとりも沖縄に「寄り添う」真心をつくす政治家は皆無に等しく、前面的に何が何でも、辺野古以外に何をか言わんやという強固な態度で押し通そうとする専制政治主義となっている。謝罪し、土下座すれば、県内移設に心が和らぐと思う錯覚に落ちているようである。沖縄県民を日本国民の中の最低の人間とみていると同時に、近隣諸国も同様に感じているのか、相手の精神的感情を傷つけても平気の平左の顔をするのが官僚政治権力者たちの体質であるという認識がある。

例えば、おごれる者久しからず、遂には滅びぬ、の通りになった政治失格者の政権担当者がいたのである。それは在日外国人（朝鮮人）から「政治献金」を受け取った理由で「外国人規制法」の違反の責任を負わされて、遂に政権担当を辞任することになった不思議な事件として注目されたのである。政治献金は、秘書に任されているということで、責任がないとは常識的には考えられない。誰が政治献金をしたのか、帳簿に記載されている氏名と金額を確認するのは当然でありながらそれを怠ることは、政治献金の善し悪しを判断するのは論外である。

野党時代の政治家たちには、国民から絶対的信頼を受けて政治の実権を握って国民のために立派なマニフェストを実行してほしい、という切望から政権与党になることを期待して投票している。しかし政権担当の実権を握ると桶の水を引っ繰り返すように、野党時代と打って変わって化の皮が剥がれるようで、国民や沖縄とは程遠い政界の内幕となってしまうのである。

なぜ日本の政治家の中には、政治家の素質の欠けた違法行為をしてまで政治家になる人がいるのか。問題が発覚するまでは、非常に真面目で好意を与えているように思われるが、月日の経つにつれて法律を犯して問題が暴露されると、信頼が一変してしまうのだ。「お金こそわが命だ」と考える日本の醜い政治家たちの本質が、過去から延々と続いている。巧みな手でお金を上手に集める政治家は、権力を握るための条件を満たすことになっている。

国民は明日の命を繋ぐにも不安をもち、断末魔の叫びをあげるほどお金の工面が難しいのに、政治家たちは、目を瞑っていてもお金が入る仕組みで事を運ぶのはどうしてなのか、疑問のつきない政界の状況が浮き彫りになってくるのである。

跡を絶たない官僚政治権力者たちが教訓とすべきこととして、南米ウルグアイの元大統領ホセ・ムヒカ氏のことばを噛み締めると政治家が嫌われることもなく、政治家として襟を正して失敗もなく尊敬もされるのである。最高指導者として世界中の人たちから尊敬されたホセ・ムヒカ氏が強調したのは「お金があまりにも好きな人たちは、政治の世界から出て行ってもらう必要がある」ことを鋭く説き、更に語気を強めて金銭に目がくらむと「政治の世界では危険な人物である」と断言している。まさに物事の裏面を鋭く見通した説得力のある教訓に耳を傾けることを政治家の条件とすべきである。

一も二も無く承知しているが、法律違反の行為による選挙資金規正法に該当する罪を犯したならば、再び捲土重来の機会を与えないように法律で厳しく規制する厳正さを作ることである。政治家に厳しい法律を作らないと国民はまた投票の権利を行使してしまう虞があるので、政治への信頼回復には重要な緊急課題とすべきである。

## 政治的悪性遺伝子の差別主義を跳ね返す

### ――今年は年回りが悪いと嘆くことなかれ――

日米軍事帝国植民地主義者たちが、密約合意の実行を確実にするために、北沢俊美防衛相と岡田克也外相が出席し、親分の米軍国防長官と国務長官が同席して、確実に効力を押し進めるために日米安全保障協議委員会（『2＋2』）を実行に移すことを決定している。時は二〇一〇年五月である。沖縄県民の猛烈な反対を押し切って、巨大な日米軍事帝国植民地要塞基地を名護市辺野古に建設しようとする両軍事大国は、日本国民としての「下等民族」という認識の下に決行しようと企んでいる。

当時の菅直人政権が国民や県民から支持を得ることは低いため、政治末期にある二人の防衛相と外相も国民から信頼されることはもはやない状況になりつつあったのである。末期症状の政権与党が、親分の下を走り続ける限り、沖縄県民の合意のない強行姿勢は、必ずや両軍事大国の運命の辿る道として、断末魔の叫びに追い詰められるのは時間の問題となっている。この十年来、沖縄県民の度重なる県内移設反対の「民意」を物ともしない日米軍事帝国植民地政策による新型の基地建設を進めることは、民主主義の根本理念とは遠くかけ離れた存在の国家となっているため、「猛き者は必ず滅亡する」ことを歴史的事実として証明されていることを思い浮かべているのである。

官僚政治権力者の防衛相が、防衛相としてのメンツが丸つぶれになる、ということで沖縄に対して強行姿勢をとるのは、まるで戦前の日本帝国陸軍将校のタイプに類似している政治姿勢で狂信的強固手段であり、県民は非常な警戒心を持たなければならない。最南端の与那国への「自衛隊配備は近隣諸国へ刺激を与える」と表明しておきながら、一ヵ月も経たないうちに「配備」の必要性を強調する政治的、軍事的体制ぶりである。

国民や沖縄が「日米軍事帝国主義国家」と明言したならば、即座に反応し「テロ国家」に対抗意識がなくても、軍備増強の動きを感知すると話し合いではなく軍事圧力をかけるのが資本主義国家体制の本質的構造である。だから日米両国に「軍事帝国主義国家」と言えば、悪魔の目を引き抜く武力体制を持っていることに無関心になってはならない。軍事力の抑止には、国民のひとりひとりの抵抗意識による行動が重要である。いざ有事(戦争)になれば、軍事帝国植民地国家は脇目も振らず国民の反対意思を抹殺して軍事行動を遂行していくことが至上命令となっているからである。与那国への軍備増強も言行不一致の結果、こうした状況になっているのである。

官僚政治権力者の防衛相が、二〇一〇年五月に沖縄訪問のスケジュールを辿ると、辺野古の陸と海を上空から視察する行動には、内心は現行案で実行できないかどうかと模索する。その当日に、当時の仲井真知事との会談で「沖縄県民の心が最も大切である」と言明している。このような一連の行動は、沖縄を安心させる猶予を与えておきながら、心の深層には反対の行動を考えていることに政治的、軍事的体制の陣を敷く憶測である。

沖縄以外への移設の可能性を視察し、懇談して要請したのかどうか、その可能性が全くないから全国報道もないのである。東京の永田町から遠距離の徳之島(鹿児島県)を打診しているが、それも沖縄と同質に判断しているようだ。こうした視点から強権発動して軍事基地を移設すれば、自然破壊の張本人である、政権担当の権力者に責任の重大性があることを国家をあげて意識すべきである。沖縄に「寄り添う」のことばをかけられても、心の中は陰険であくどい行動に注視して対応策を練り上げることが肝要である。

官僚政治権力者の各閣僚たちの行動に対して、沖縄として警戒心をもち抗議文を発表すべきであるが、そこを見抜く見識を持っていても前面的に行動できない状況のようである。官僚政治権力者の各閣僚たちに暗黙の主導権を握られてしまうと、他の自治体をくまなく探してもどこの県にも移設を引き受けてくれないので、沖縄へ「お願いします」という結論になってしまう。「暗黙の諒解」、即ち沈黙は禁物であるから、相手の言い分を認めないためには沖縄として今こそまさに正念場をむかえていることを念頭に断固として抵抗すべきである。

官僚政治権力者たちは、仲井真県政を粘り強く説得すれば、必ず頭が下がるであろうという推測が現在に至って尾を引いていると思いこんでいるため、しきりに沖縄へ足を運んでいる閣僚たちの頭の黒い鼠たちの行動となっている。沖縄県民は、冷汗をかきながら執拗に追求してくる政治的・軍事的政策への道に対し、どういう行動を示すのか、不安を抱きながらその行方を見詰めているのが沖縄の現実認識である。

二〇一〇年六月、普天間基地の移設先を密約協議で「深化」発展させたのは、日米安全保障協議委員会（2＋2）で県内移設を確認した直後に就任したばかりの官僚政治権力者の防衛相であり、米国務長官との会談において「着実に進めたい」と確認して、沖縄を軍事的な足固めにしようと企んだのである。その密約会談は、民主的な政治交渉ではなく、絶対に同調できないので、沖縄県民は強力で揺るぎない強靭な抵抗精神で名護市辺野古への新型の日米軍事帝国植民地基地建設反対の意志を示しているのである。民主主義に基づいた沖縄県民の意思表示により勝ち取った権利を尊重すべきであるが、それにもかかわらず、民主的な選挙による圧倒的勝利の「民意」を物ともせず物事を押し進めるのは、日米軍事帝国植民地政策が根底にあるからである。

名護市辺野古の陸と海は、昔から自然環境に恵まれた世界的名勝の地であり、日米軍事帝国植民地基地建設に反対する沖縄の「民意」の現実を直視しないのは「政治的堕落」の道に向かっていて政治的な危機問題に瀕していることを感じるべきである。

官僚政治権力者たちは、沖縄をいつまでも蛇の生殺しにしないで、一刻を争う新基地建設の「承認」の判を押してくれるように、政治的、軍事的にあらゆる手段と方法で、過酷なまでに沖縄をいじめつくした報いに、予見通り崩壊し藻屑と消えるであろうと思われてならない。

新型の日米軍事帝国植民地基地建設の「承認」に行き詰った失敗を目の当りにした超保守的自民党が、再び政権の座についた途端に前政権の民主党の二の舞をば演じないように、党同伐異の米軍の虎の威を借る狐になって沖縄に立ち向かっている。この現実は専制政治に類似した目線の安倍晋三政権による独善的政治体制を、沖縄を主とした全国民の総力を結集して断ち切らねばならない現実に直面している。

沖縄県民から嫌われる密約絶対主義の政治的、軍事的会談は、いずれも失敗に終わることを意味している。沖縄の未来に有るべき民主主義の姿を考えた場合、贅沢三昧な生活環境でなくても、日米軍事帝国植民地主義の支配者たちによる事件や事故に怯えることのない、椰子の実の流れ寄る基地のない宝の島を目標に「虹の国、独立民主国家」を築くことも夢ではないのである。

## 資源をめぐる中国と日本の外交問題の差異

### ――危ない橋を渡るなかれ――

日中輸入貿易について、日本の官僚政治権力者と中国の温家宝首相との会談が、二〇一〇年八月に開かれた外交問題がある。会談の中心内容となった議題は「レアアース」（希土類）という鉱石の輸出規制について中国政府への見直しを求める会談である。

この「レアアース」は、ハイブリッド車の主要部品とパソコンの磁石として使用される重要な鉱物になっているようである。中国からの輸入がなければ、日本企業が大きな打撃を受けると言われている鉱石であるため、日本の官僚政治権力者たちは中国へ輸入制限の見直しを要望したが、中国側は乱開発による環境破壊の悪影響と密輸を考慮して、見直し要求には「応じられない」と拒否したのである。中国の見直しの拒否判断には正当性が見受けられるのではないかと想像する。この交渉の成り行きに対して、沖縄県民が中国の外交政策に賛成を表明した場合を考えると、沖縄への批判は明白であり、同じ国民であっても牙を剥く高圧的な行動に出ることを予想するのである。

中国と沖縄は歴史的に深い友好関係にあるが、しかし現在も中国に対する意識には大きな変化はないと言える。沖縄は、官僚政治権力者たちから見直しの要求の外交姿勢に対して、中国側の視点で考えざるを得ないのである。なぜならば、沖縄が日米軍事帝国植民地基地建設反対の意思表示による「日米共同声明」の見直しには、県民の総力をあげて全身から湧き出た「民意」に対し、全く耳を傾けることもなく虫けら同然に取り扱うが、中国には経済的深刻を見計らって「見直し」を要求する外交姿勢だからである。官僚政治権力者たちは、沖縄の軍事植民地基地に関してはあまりにも冷淡で冷酷な仕打ちによる邪知で暴虐なふるまいで立ち向かうからである。

日本が国益のためであると主張しても、交渉の仕方には、大人の我が儘と自己中心的な外交姿勢の行動と思えるため、日中外交問題では無理な「レアアース」の見直しを中国に対して要望しても、その可能性への展望は見出せないであろうと思われる。

それにつけても中国の外交姿勢は、近隣諸国から表面的に厳しすぎると思われたくない慎重さがあるので、中国政府と中国人民は残酷な仕打ちをとらない誠実さがあるようだ。重要議題の「レアアース」は、日本企業に経済的利益の「和すれば共に利益、争えば共に傷つく」という認識から日本を窮地に追い込むような冷淡な外交政策をとらないであろうと推測するのである。日本企業の主要商品であることを中国政府も熟知しているので、苦虫を噛み潰したような顔を見たくないのが中国側のありのままの外交政策のようである。

中国の偉大さは、中国人民の心の中に長河の流れとなって、根強く根付いているため、寛大な措置をとるのは疑う余地がない、と言える。また、日本外交は経済的発展のみを至上命令とせず、中国側の主張する地球環境の悪化に対する懸念が高まることを推測しているため、反省すべき点が多々あることを学ぶべきである。憎悪感を抱けば、一層憎悪感が増幅するのは人間の性悪説に基づいているからである。

外国人の日本人に対する見方によると、日本人の経済生活は「地球二個か三個が必要である」と経済政策の研究者たちが報告している。日本人に対してそういう見方をしているならば、これ以上の経済大国を追求して、豊かな生活に憧れる必要はないであろうと思われるのだ。近隣諸国は、経済的に貧しい人たちが多いので、宝島となって優勢を誇ることもないであろう。

南米ウルグアイの政治指導者で元大統領のホセ・ムヒカ氏は「比較的幸福すぎると富を失う」ことになり、富を求めることに執着する者には「富が幸福をもたらすとは思わないのだ」と言ったことに、日本人として一度は立ち止まって過去から現在そして未来を考えてみることを地球環境の悪化から考えてみなければならないであろうと思われる。

官僚政治権力者たちが、超保守的外交政治対策をすることにあたって中国に要求する態度として、決まり文句を並べたてる「国際社会に中国へ政治的圧力をかけることによって強固姿勢でのぞむ」ことで包囲し、追い詰める外交問題を要にしているようである。こうした圧力をかけられると、沈黙は禁物であるので、外交上強い態度で抗議することになってしまうであろう。官僚政治権力者たちは中国への嫌悪感の外交姿勢が、その後の政治的状況にどういう社会変動をもたらすのか理解しなければならない。

この「レアアース」の交渉問題が行き詰まった結果、今度はその対策として日米欧州連合がＷＴＯ

に訴えて、その結果として日米欧州の訴えたことを支持して、中国に対し是正を求める報告書を公表すると言明している。中国が輸出規制する理由は、国内事情から見直しをすることは不可能であると強調している。資源開発による環境破壊が測り知れないほど大きいため、終始一貫して方針にぶれることはなく資源と環境の保護が重要である、という政治的信念に基づいて解決しようとする外交手段を重視しているのがその主な理由となっている。

確かにハイテク製品に使われる鉱物の「レアアース」は、日欧米には経済的に苦難の道を選択しなければならないため、ＷＴＯの訴えに対して賛同することは必然的であることは言うに及ばないが、中国側の主張にも謙虚な外交手段で検討して決断すべきである。

官僚政治権力者たちの外交問題の対応に目すべきことは、相手国から異議を申し立てられると、不満を打ちのめして武力で威嚇して捩じ伏せようとする国家の体質であり、過去の中国や朝鮮半島への軍事帝国植民地侵略の歴史事実を見詰めて過去の事実を彷彿させてはならないことに国民の監視の目を光らせることが重要となっている。

こうした外交交渉の裏側には、官僚政治権力者たちの、沖縄の考え方が反対の意思表示になると高飛車に出て権力を奮い立てて毛嫌いする傾向と酷似している。

中国に対しても同様の行動をとる傾向があるため、中国の民族のひとりひとりが気持を引き締めて、技術能力を磨く優秀な民族としての自覚と切磋琢磨して努力する以外には嫌中感を跳ね返す道は開けないのである。

# ぶれない政治家が沖縄を救う

## ――前知事の残した足跡を考える――

政権担当時代の前知事は当初の主張で県外にすると言っていたが、前民主党政権担当の国土交通相との対談による記者団への質問に対し、前向きは県外だが後向きは県内の指向が強い、という感想を述べていたのである。会談後、すぐに東京永田町へ行って話し合いを持ちたいという知事の行動は、もう明らかに県内移設の意思が強くなっていることを暗示していたのである。会談前の沖縄の強い抵抗集会を念頭にした行動を考えると県内移設への気持ちはないと思われたが、前知事の態度は永田町に見抜かれて政治的に弱みを感じさせるような行動になっていたようだ。

普天間基地問題についての最初の主張として「ベストは県外だが、県内やむをえない」という消極的見解を見抜かれていたのか、旧民主党政権下の基地問題に関係する各閣僚たちの念頭には、粘り強く説得すれば「理解と協力」が得られるであろう、という印象を与えてしまったのである。

二〇一〇年四月、県民大会の開催発表がされて主催者側から出席を依頼された場合、即座に参加する意思表示をすれば、各閣僚たちによる基地問題に「理解と協力」のことばも引っ込んでいたかも知れないが、しかし大会が間近になっても意思表示が一向にわからないため、閣僚政治権力者の各閣僚たちも内心は歓喜の渦に包まれていたようである。

二〇一〇年九月、菅直人内閣改造の場合にも「納得のいく説明や解決策がない場合はお願いしたい」

と表明したが、知事に対し「誠心誠意」交渉すれば「理解と協力」が必ず得られるであろう、という気持ちを与えてしまったのである。沖縄県民の代表としての前知事の立場として「断固反対」の意志を強力に与えないと、沖縄へ日米軍事帝国植民地基地を押し付ける独裁的官僚政治権力者たちの巧妙極まりのない舌先三寸の下心に警戒することになっていたのである。

二〇一〇年一〇月、沖縄県民が注目したのは南アフリカの州知事の県庁訪問で、沖縄と友好関係を結びたいという要請に対し、前知事仲井真弘多氏は基地問題について表面には出さず、観光資源にのみ逡巡しての会談に終わらせたことである。南アフリカの人たちにも日米軍事帝国植民地支配によって沖縄の被害状況について、外交上率直に話さなくても基地問題の現実について説明することもよい機会になったのであろう、という意見である。勿論、基地被害を強調すると観光資源の道から離れるであろうが、もし沖縄に来て観光客が基地被害を受けたらどうするのか、予備知識を与えてもよいのではないか、と考えたりするのである。

沖縄県民の意志に止めを刺すように矢継ぎ早に来県する前民主党時代の官僚政治権力者たちに対して、大多数の県民は歓迎の気持ちはない。その目的は、県民の切実なる要望に聞く耳を持っておらず、日米軍事帝国植民地主義国家のみの「密約」を懐にしまいこんでの話し合いの結果内容を、沖縄に押しつける悪徳政策に不満があるからである。

この悪徳政治権力者たちは、柔軟体制の前知事とだけの会談では沖縄の現実をまともに理解することは到底できることではない。県民の「負担軽減」とか「理解と協力」に国家権力者の立場から「誠心誠意」努力をしたいならば、自治体の市町村長や県議会議員全員を召集して、防衛局の講堂で直接的に公開討論を開催し、質疑応答しながら県民の直接的な要望に耳を傾けるべきである。知事のみの対談では、個人的感情も左右されるから沖縄として非常に不満である。

知事たる者は、隙をねらわれて「瓜田に履を納れず」のことにならないように、県民に視点を置いて対応することを忘れてはならない。予算要求で満額の実現が叶えられたことに満足せず、「口に蜜あり、腹に剣あり」のたとえにあるように、それに有頂天になってぶれることのないように警戒心をもたなければならない。沖縄県民もこれに満足することなく、あくまでも辺野古新基地建設反対の態勢を堅持することが、重要な政治的視点となっている。

前知事の仲井真氏の政治的姿勢に注目すべきことの一つに、沖縄の先行きに不安な政治的課題となったのは、東日本大震災のがれきと福島原発の廃棄物を引き受けることを検討していたということと、過去の沖縄地上戦で日本軍による慰安婦問題と住民虐殺による歴史的事実を戦争の傷跡として後世に伝えるために司令部壕の石碑に刻むことを明記するのか、ということが不安な政治的話題となっていたのである。

前知事の政治的姿勢に曖昧模糊として計りがたいもう一つには、民主党政権時代の菅直人から野田佳彦政権へ交代したが、直ちに日米軍事帝国植民地主義者間で「合意」を強権的に発動して辺野古新基地建設に何が何んでも無理であるにもかかわらず、強権的恐怖政治を実現しようとする野田佳彦政権に対し、毅然とした態度をとらないで、ただ「ものすごく時間がかかる」と主張したことに政治的な弱点が指摘されていたのである。

前政権の自民党も同然で、沖縄の実情を心から知ろうとする意欲もないため、聞く耳を持たず屁とも思わないのである。官僚政治権力者たちから「理解と協力」を繰り返し言われると、ぶれる知事と見抜かれてはならないので、この常套語の息の根を止める抵抗精神が必要である。そのぶれる知事の政治的姿勢を観察すると、権力側に押し潰されて納得させられるような言動が所々に溢れでていて、県民として非常に不安と警戒心を抱かせる政治的行動に県民の重要な視点があったのである。

　前政権の野田佳彦内閣の各閣僚たちは「唯一の有効な道」として、名護市辺野古移設でなければならないと主張するが、沖縄県民の真実で真剣な反対「民意」の現実を真面目に認識するならば、沖縄を宥(なだ)め賺(すか)すようなことばを使わないのが民主主義の理念に適った常識であるというべきである。

　官僚政治権力者たちが、沖縄の戦後史を学ぶ意欲があれば「同病相憐れむ」という気持ちになり、名護市辺野古に新型の日米軍事帝国植民地要塞基地の建設を断念することになるであろう。常套語の「理解と協力」も使わずにすみ、かつ沖縄県民に心から痛む気持ちになれば、国民や県民が切望して止まない真の民主主義に基づいた理想の国家となって、近隣諸国から信頼されると同時に、世界中の人たちから憧れの国家として尊敬されることは夢ではないのである。

# 第六章　今を共に平和に生きる権利のために

# 被爆地長崎から核廃絶を訴える

## ――第八回二・一一平和教育研究集会に参加して――

### 一、原爆の爆心地に立って考える

「被爆教師の会」のメンバーが、爆心地から半径八百米地点を案内した。爆心地に立って、小雨の降る空を見上げると、七三年前の悪魔の原爆に怒りが込み上げてくる。

爆心地に立てられている石柱の右側の碑文に「原爆落下地点」と刻まれている。平和教育で長崎を教える場合、「原爆投下」という言葉で、物理的にも意識的にも行為的であったと思っているが「落下」という文字を見たとき、空から自然発生的に物が落ちてくる現象であると言ったある種の異様な感覚に捕らわれるのである。しかしその碑文には紛れも無く思想的、政治的な問題が絡み合っているという疑問を抱くのである。そして更に、左側の碑文に投下された当時の状況が詳細に刻まれているが、どこの国が投下したのか「主語」のない説明である。原爆を憎み、原爆投下に憤り、今口では核脅威の中で核廃絶への世論が大きく盛り上がり国民の心の中に深く浸透させているが、「主語」の欠けた碑文は不可思議の感情を与えているのである。それを不明確にし、ぼやけさせているのは、親米派政権の官僚政治権力者であり米国を刺激したくない外交的従属国家の政治的配慮によっている。

百聞は一見に如かず、と言われるように遺跡の説明を聞くと原爆の恐怖を身をもって認識し、同時に核戦争をこの青い地球上から永久に葬り去るために、平和教育の実践的活動を積極的にすすめることを自覚するのだ。

原爆写真で見る場面と説明されている地点が同一の場面であると理解できるが、近代的な高層建築ビルが建ち並ぶ陰に小さくうずくまっている遺跡もじっと立ち止まって観察しないと気付くことができない。

長い年月による風雨にさらされて自然に風化したり、都市開発の波にのまれてその一部分の遺跡も緩慢ではあるが、失われつつあるので、被爆教師の会が後世に語り継ぐ地道な活動に感激している。

遺跡めぐりの説明が終わった後の平和教育交流会では、平和教育の状況報告があって毎年管理体制の強化が押し寄せているため、平和教育の「平和」の言葉さえも使用不可能な態度で高圧的な圧力に直面している、という報告である。被爆地の長崎でありながら修学旅行先の広島を指定することを咎めたということもあるようだ。

宮崎大学の小沼教授の講演もすばらしくその講演が終わっても聴衆は立ち去ろうとする気配もなく、一時はシーンとした静まり返った雰囲気である。核脅威が押し迫っていることを国際政治学の立場からあらゆるデータを駆使した内容が聴衆を引き付けて心を震撼させたのである。

平和への思いは、世界共通の認識であり、戦争を肯定する人間はいない。平和を望むならば、平和運動の集会へ参加することによってその意識を深めることができるし、巷に流れている平和への認識には極めて簡単で低俗的であり、常識的なことばかりで核戦争が簡単には起こることはないと言うのである。人類の歴史は、戦争の歴史であるから戦争は避けられない運命の悲劇が繰り返されてきたからである。現在も同じ道を歩む国家が増加していることで証明されている。国を守るのは国民の義務であり、軍隊が守るのは当然であるという認識であるから日本を侵略するのは北の方しかないと言い、また戦争は軍事力の格差で起こるので、均衡の状態が戦争勃発の防止になるという考え方をする人間が多いのである。

短絡的な発想の平和常識論者たちは「戦争が起これぱみんな死ぬんだから、今のうちに存分に人生を謳歌することだ」とか「徴兵制度」が施行されたら「俺は絶対に拒否する」というように、とにかく自分が否でも応でも他に押し付ける考え方を変える啓蒙運動を起こすことが肝要である。

## 二、なぜ核廃絶に世界中が動くのか

平和について語るとき、世界的規模で戦争の危機がすすんでいることを、有り余る情報により理解できる。例えば、核の脅威とか核戦争三分前であるといったＮＨＫ放映の「核の冬」、また週刊誌のグラビア特集号などで知ることができる。これらの情報源で「核戦争が起こったら……」という仮定の下で、被害を予想する議論は確かに重要であるが、起こらないようにするにはどういう方策を立てるのがよいのかということに発展させることである。恐ろしいという段階に止まることなく、核戦争にならないためには「軍縮だ平和だ」とか言うことについて具体的な資料を駆使して説明しなければ、理解不可能な世代が多い時代になっている。

核兵器に恐怖の意識がない原因は、核の威力が巨大になったので、投下されると何百万の人間が死ぬとか運搬手段が正確になって、四～五〇〇〇キロ飛んでもその誤差は僅かに二～三キロメートルしかないし、レーダー網の発達によって科学技術の、まさに悪魔の技術が高度に発達したということが宣伝されている現実の状況になっているからである。

核兵器の真髄を認識することができず、科学技術の発展の素晴らしさに絞って教えこまれてきたのである。肝心の悪魔兵器を製造した技術の先端兵器を使用し、それによって利益を得ようとしている人間の問題には全く欠落していると言える。

現在の世界的政治状況は、国際政治学者たちの忠告として核兵器使用による核戦争の危機を警告している。いろいろと国際状勢を分析すると限定核使用は東南アジアに発生するであろうことを明言している。

こうした国際的政治状況から判断すると、人類絶滅の窮地に追い込まれるのは、日米軍事帝国植民地基地の存在する沖縄で、第一の標的になっているのは、正確な資料に基づく軍事的な政治的視点に起因している。

この事実は、日米太平洋戦争で地上戦に巻き込まれたように、再び日本本土だけではなく悪の帝王国家の防波堤にもなっていることが論より証拠であるからである。

沖縄県民は、将来の展望として推測可能になるのは、危機的滅亡状況に直面する前に、戦前の軍国主義を徹底的に反省し、平和と民主主義の国家となった戦後の原点にもどって考える現実問題の難局に直面している。
こうした最善の策には現在の日米軍事帝国植民地基地を跡形もなく完全撤去することと同時に、沖縄県民の「民意」を物ともしない強硬手段、辺野古の陸と海に汚染した土石で固めた巨大な軍事帝国植民地基地の建設を強力な意志で阻止することによって、安全で希望を抱く輝かしい沖縄の未来像があるのである。

その強固な意志を築くには、軍事植民地基地について無関心な一部の県民と全国民に向けて国民的撤去運動を引き起こすに極めて意気さかんで勇壮な抜山蓋世（ばつざんがいせい）の雄（ゆう）のこもった平和教育の実践活動によって、蒙を啓くことが先決問題となっている。長崎被爆地を歩いて考える核兵器の恐怖である。

平和教育については、青少年時代から実践し、行動する意志の強い人間にするために次の視点で考えを纏めることにする。

青少年を聞き手にしただけではなく、語り手として語り継ぐものとして育てることである。大人になった時には、平和を語り行動する人間になるであろう。また現実の社会的、政治的状況の危機感によって、行動に移すことに追い込んでいくことに壁を切り開いていく平和教育に力点を置くことである。

青少年時代から命の大切さに加えて人の痛みを感じとることのできる人間になれれば、大量の殺人的核戦争を起こす殺人鬼になることはない。また日本に住む少数民族の特色を理解し、尊重し合って互いに助け合う人間になる平和教育への重点目標にすることである。

平和教育は計画的スケジュールによることである。戦争体験者が日増しに鬼籍に入る現在、どう語り継ぎ広げていくのか、計画的でなければならないという恒常的平和教育であることである。

核戦争の危機的状況の現在において、単なる戦争の恐怖を断片的に、テレビゲーム的に教えるのではなく、それぞれの青少年たちの心の奥深くまで生命の尊さを浸透させ、そこから得た知識で行動をする人間に育てることによって、現実は平和なのか、また平和を守りぬく平和への思いを高める実践的で行動する平和教育でなければならない。

## 三、心頭を滅却すれば火もまた涼しへの人間育成へ

国連総会の核軍縮会議で「核廃絶」への賛否両論を問う問題の中心的議題に同意せず、核武装論を唱える政治的国家体制の国家は、世界的規模の動向から判断して、民主主義とは全く孤立無縁の国家となっている。

唯々諾々として核大国に従属国家は主体性のない国家権力者であり、平和主義を主張する権利はない。その事実は民主主義とは無縁であり、独裁的政治権力者となっていく傾向になるのは、歴史的に真実な証拠として残っている。「暗闇は光に勝てない」という韓国の国民的愛唱の歌は、被爆国日本も国民主権に基づく国家建設に目標を定めて邁進すれば、核問題を解決する道筋が立つのである。

平和への認識は「平和を築くことが最高の道徳である」と考える青少年を育成し、県民のひとりひとりが自ら考え創意工夫を凝らして、平和への認識を訴えることが現代人に要求されており真剣に取り組む現代の切実な問題となっている。心頭を滅却すれば火もまた涼し、といった人間教育にするの

が理想的人間像である。

## 核時代と人間の生き方　――あなたは今、しあわせか――

### 一、核廃絶は人類究極の目標である

最近の若い世代は「目標を失い、生活に緊張感のない」日常生活を送っており、考え方も「マスコミとの接触を中心にコピーしたように画一的な生活に流された傾向」にあると言われている。このような生活をしていると自分は何のために生きているのか、はっきりわからないままの状態が続き、国家的思想統制による上からの命令で何の考えの判断もなく、かつ主体性のない生き方か個性のない人間になってしまうであろう。そうならないためにわが身の不運を恨んだり、他人から詰まらない批判をされる前に、二一世紀は自分が主役だとか自分で自分を変革するのだ、という認識から出発し、一人前の人間として世界の情勢に目を配りながら社会の動きを観察する基礎を固めないと、何のために生きているのか、居場所が分からなくなってしまうのだ。

世界情勢が緊迫した状況にある現在は、世代を問わず今世紀をどういう行動をして思想を作り出すのか、という問題である。目標を定めることもなく緊張感のないウチナーンチュも限定核戦争の可能

性を盛んに宣伝している現実の厳しい政治的状況の下で、無関心ではいられないのである。討論集会で最近の日本の「防衛、安保」についての内容で「安保」をなくしたら日本の軍備増強がますますエスカレートして歯止めがかからなくなり、侵略戦争にもなり兼ねないがどうするか、または自分の家族を守る気概は結局、国家を守る気概にも通じるため、核兵器保有も他国から侵略されることもなく憲法違反にならず抑止力にもなるという意見が述べられたのである。

日本国憲法の下で「安保」があるかぎり、必然的、本能的に軍備増強に乗り出して米国と同盟国にあるため、侵略戦争に加担されてしまう状況になっているのが現実問題となっている。

新聞を読み、国会討論のテレビで放映されることに接すると、異様な状況になっていることが直感できるのである。軍靴の響きが音高く日増しに身近に迫っていることを確信的に証拠立てることができるようである。生きる権利のあるすべての人間は、惨めな戦争を望まず、心から平和を願っているにもかかわらず人間の意思に反する戦争が第二次日米太平洋戦争である。旧ソ連軍のアフガニスタンへの進攻やイラン対イラク戦争も敵対行為による憎悪で勃発している悲惨な戦争となっている。それに劣らず米軍事植民地国家も最悪の場合には先制核使用の可能性もあると繰り返し言明しているため、いかなることがあっても沈黙をしてはならない軍事的状勢にあるのが現実の世界状況となっている。日本の官僚政治権力者も同様に「脅威」を前面に打ち出して国民に対して効果的に最大限に煽り立てて自衛隊の増強とその完全装備に拍車をかけていることに警戒しなければならない。現実問題に、北海道へロシア軍が侵攻してくる可能性に核武装して対抗しなければならないと国民に暗示をかけることに極度の緊張を抱かせることを恐れるのである。

日本の現在の社会的状況はどんな時代であるのか、というと明治以後から現在までの歴史の流れについて社会的に著名な学者や知識人が指摘するように、日本が侵略戦争の始まった一九三〇年の時代に酷似していると指摘している。おおかたの歴史学者は「戦争前夜である」と言って非常な危機感で現実の政治の方向性を暗示している。

## 二、核戦争を秒読みの段階にしてはならない

イギリスの有名な新聞による世論調査によると、国民の半数以上が「第三次世界戦争が起きる」と答えている。これと同じく米国の世論調査でも六〇％の高率で結果として報告されている。世界超核保有国家が、核競争にますます拍車をかけることに対して、全世界の平和を愛する人間がイギリス国民と同じ気持ちになることも当然である。日本も同じように、防衛費は一般会計とは別枠に可決されていて莫大な予算となっている。日本が歴史上かつてない戦争のない平和な社会になっているのは、平和憲法によるものである。

トランプ米大統領の政権になって急速に「中国ロシア強硬路線」が表面化しており、沖縄を「捨て石」の島とも考えている軍事帝国植民地優先の政策の下で、最初にして最大の犠牲を被ることを忘れてはならない。一九四七年に原子物理学者たちによって設立された「運命の日の時計」は「核戦争四分前」にまで進められているので、今まさに刻々と危機がせまっている状況になっている。

日本の政治状勢はどうであろうか。歴代内閣から現在の安倍晋三内閣成立時に異口同音に発する言

葉は、国家予算成立には物価安定が第一だ、社会保障を充実させるというように国民に誇らしげに表明するのである。社会保障関係では、例えば国民年金や厚生年金等の保険料引き上げを考える場合にはどうも額面通り受け入れないことが言えるのである。

二〇一一年三月の福島原発事故による被害保障は、事故から九年も経過した現在までに十分な対策が進んでいないことを重点的に考慮して最優先の政治的課題で対応すべきであるが、依然として対策が遅れがちになっている。これに対して、軍事力増強では「状況に対応するために防衛力を続け、政府内にある計画を早急に達成する」ために真剣に考えていくことを誓っている。兵器類については、防衛予算では核兵器でさえも憲法違反ではなく、大陸間弾頭ミサイル以外のほとんどの兵器を保持するというのが現在の官僚政治権力者たちの解釈である。別枠の防衛費は、戦前と同じく「聖域化」しつつあるのが現実的になっているため、国民があれよあれよという間に、軍事費では世界有数の軍備保有国となっている。日本の政治的進路が、再び二の句が継げないほど、二の舞を演じないか国民のひとりひとりが監視の目を光らせることが重要となっている。

## 三、もと来た道とは何か

昭和一三年（一九三八年）「国家総動員法」が成立して日本の人的、物質的資源をくまなくさがして徴集して戦争に使われたのである。そのため、明治憲法の規定する「臣民の権利」を規制して「大政翼賛会」が結成された時代には一党独裁体制になって、当時の議会の空洞化がいわれていた。現在の日本国憲法の下で議会制民主主義のあり方が、強行採決されて空洞化し、形骸化しているのは全く戦争前夜と類似点が多く共通していると言える。有名な歴史上の事件となった一九三六年二月（昭和一一年）の二・二六事件によって、内政・外交・軍事などの全般が軍部の要求通りに動かされ、政治も陸軍の指導下にあって権力化される思想統制がされて戦時体制へ国民を引きずっていった苦い経験が記憶に残っている。しからば、現代の政治をどう評価すればよいか。

超高度経済成長時代から判断できるように「資本」によって政治が牛耳を執られていると言えないか。日経連の会長が「徴兵制」をしかなくてはならないという発言をしたり、財界の少数意見として公然と軍備増強の必要性を述べたり、かつ武器輸出も活発化しなければならないと表明している。それに加えて、自衛隊も最新鋭の戦闘機の購入、リムパックへの軍事参加、自衛隊の米軍と共同軍事訓練への派遣に対して積極的に対応する必要性があると言明している。こうした二の句が継げない政治的行方から、現在の憲法が規定している基本的原則の平和主義と官僚政治権力者たちに加えて財界側から否定されてきている事実を、足元から鳥が立つ思いで意識することである。

この事実の経過から歴史の流れを調べると現在の政治が「資本の論理」に振りまわされる機械の部品のようになる人間は、軍国主義時代の軍部が政治を支配し、資本が政治を動かした軍国主義時代の当時に酷似している。この時代は、言論の自由を厳しく抑圧していたため、国家権力を批判すると徹底的に取り締まったり、また国民を思想統制して戦争へ駆り立てたのである。現在の政治状勢もまた、危険な道へいや応なしに押し流される状況に置かれている。

数の暴力で国会の空洞化を繰り返していると、政治は資本の論理に支配されて自主防衛が主張されるようになり、挙げ句の果てには資本と軍備が結合して本格的な軍事大国へ突っ走る現実に目を配りながら誤まった選択のないように異議を申し立てて行動する人間の育成に努力することに尽きる。

## 四、足枷になっている安保条約廃案へ

復帰後も依然として変化のない大規模な日米軍事演習も今年で数百回にもなっている。案ずるに、国民的立場から憲法論議も軽視され否定的政治政策で、国民の支持のない政治家の「靖国神社」への参拝問題に至るまで、とにかく暗い道へ針路を変更しつつある。この靖国神社は、せっかく国家の特権的保護から一宗教法人となったが、再び特権的地位に置かれて英霊を祭ろうとする法案になっているため、近隣諸国から異議を申し立てられる羽目になるのである。歴史は繰り返してはならないが、過去の悲惨な戦争体験を徹底的に反省し平和を求める真剣さがないと歴史を再び繰り返すことになるのだ。

沖縄の政治的現実問題点は「安保条約」を度外視してはならないのである。戦争体験から幾多の波乱の歴史を経て不況や失業率の高い沖縄の現実であるが、現在も安保繁栄という温湯にびっしりと浸かり、枝を鳴らさない生活に満足しているように感じられる。今は各家庭にテレビ、自動車があって生活必需品となり、憲法二五条の「すべて国民は、健康で文化的な最低限度の生活を営む権利を有する」保障を限定的に肯定すると想像もできないのである。これを安保繁栄の肯定論者は歓迎するが、県民の否定的見解からすれば、果して生活繁栄の一環であるのか疑問と言うべきである。例えば、食

卓上の問題として明らかなように、コーラ、ジュース、コーヒーは健康上悪いというし、ミソ、パンにまで食品添加物が入っていて不適当な食品であると言われている。食パンの大部分は漂白殺菌された小麦粉を原料として製造されているため「死のパン」とも言われていた。このように食品添加物を許可している国家は、米国の一部を除いてヨーロッパ諸国では許可されていないようである。それ以外にも飲料水を飲み、魚介類を食べれば公害病になるのではないか、と恐れながらの食生活をしなければならない。その他交通事故による社会問題など繁栄の影に隠れた矛盾には「資本の論理」の冷厳な現実と呼ばれる所以である。現在の社会は、消費者の生命や健康を第一に顧みることであるが、自らの利益追求のために資本の冷酷な論理をいやおうなしに展開させて国際競争に勝たなければならない事情が日本の現実問題となっているのである。この経済的繁栄を、繁栄として認識するならばその繁栄は沖縄の犠牲の上の繁栄であることを国民は骨髄に徹することである。

米軍事帝国植民地政策に苦しめられ、また「捨て石」の基地の沖縄があるが故に日本経済も潤っているが、安保体制の下で依然として軍事優先の実射訓練や基地騒音による病死が報告されている。人権無視を厭わず我が物顔に財産を奪い、自然破壊をして軍事植民地要塞基地建設で沖縄県民を苦境に立たせている奴隷根性の国策には民主主義の精神は宿ることはないのである。

総理府の社会意識に関する世論調査によると「日本の国情は平和だ」が「日本が進んでいる方向は必ずしも好ましいとは思っていない」という結果である。確かに二一世紀の現在の政治的、社会的状勢には頬を膨らまざるを得ないのである。

昨年（二〇一八年）から戦後の民主主義は「全く虚妄である」と全面的に否定する運動や言動が目

立っている。日本国憲法と教育基本法に基づいた戦後の民主教育では、すべての児童生徒を「人間の尊厳」の立場から明確にしたのである。それを否定的に「戦後教育は重大な間違いであった」とか「教育勅語復活論」まで叫ぶようになっている。それに拍車をかけて戦前の「治安維持法」体制を積極的に肯定する動きも表面化しつつあり、言動の自由を抑圧して人間をめちゃくちゃにがんじがらめにする不安な状況になりつつある。現実の政治状況は無意味な存在であっても、戦後の民主主義は、名目上国民の心の中に定着しているので、最後の砦として戦争の危機を防止する行動的人間となることが今、問われているのである。

## 五、民主主義は虚妄となったのか

過去の軍国主義による侵略戦争に対して、国民的規模で抵抗しなかったことを「後悔先に立たず」にならないように、再び危険な道に進まないために、批判と抵抗運動によって戦後の民主主義を健全に発展させる努力がなければならない。抵抗精神に基づく批判と抵抗の本質的要素が欠落していたため、空洞化し形骸化の様相を呈してきた遺物を徹底的に精算すれば「民主主義は虚妄だ」ということにはならないのである。国の将来を心ある人たちが結集して行動することによって平和を創造していく場合、日本の針路を正常な軌道に乗せることが可能である。

現在は「民主主義の世の中で平和が保たれているのであるから考え過ぎだ」と考える者もいるが、要は安保体制の民主主義によっている限りそうではないのではないか。前述したように、日本の高度経済成長は、安保体制の下で苦悩している沖縄を置き去りにして考えることはできないが、復帰後も日米軍事帝国植民地主義の本性が牙を剥き出しにするに連れて、沖縄を「捨て石」の基地と意識しているため、基地から発生するもろもろの事件や事故を傍観者的になって策を弄することになっていないのである。日米軍事帝国植民地主義の支配者たちには痛み入ることはないのだ。基地があるが故に当然起こるべくして起こる軍人・軍属による犯罪、麻薬、売春、基地公害等の行為は、民主主義を旗印にする軍事帝国植民地主義の支配体制があるからである。そうした苛酷な生活環境になっているので、再び平和憲法と安保とを勉強して沖縄の未来像を考える必要に迫られている。

五一年安保体制は、沖縄を直接的に米軍事帝国植民地支配下に置いて本土を安保体制の第二義的支配下に置くことと区別しているため、これは一方的な軍事基地提供条約であり、国際法から不公平な不平等条約になっているのだ。この条約が変化するのは六〇年安保となっていて、日本駐留の軍事基地には「地位協定」によってあらゆる特権が保障されているため、沖縄がそれにより人類史上、大きな犠牲を払わされているのである。「日米軍事同盟条約」であるから、若し日米の軍事基地が攻撃された場合、自衛隊も戦争に参加する約束の条約であるため、二〇一九年度の防衛予算関係が増強されることも六〇年安保の第三条で軍備拡張の義務を規定されている。

このように「安保」の発想は、日本が平和を守るには強力な軍隊を保持しなければならないということになって、必然的に仮想敵国を想定して防衛することになるのである。しかし現実には仮想敵国と曖昧な表現はせず、具体的には「中国ロシア」と決定している。日米の共通の敵国が明確になると「中国ロシア脅威論」を振り回して、沖縄県民を洗脳しながら軍事植民地演習を積み重ねていくことになるのだ。新日米軍事同盟条約の下で「中国ロシア」に対抗し、凱歌を奏するには軍備増強に選択する余地がないことになるので、従って憲法第九条で軍隊保持をしないことにより平和を維持する理念と強力な軍隊で平和を維持しようとする考え方と根本的に「平和とは何か」で対立することになる。後者を主張する論理からは、米軍の軍事外交政策が変更すると方向転換して日本の官僚政治権力者たちも強制的に軍備増強に向けさせられるためにその犠牲で沖縄の日米軍事訓練も活発になるのである。

日米軍事帝国植民地主義の独裁政治権力者たちは、梃子でも動かない軍事力体制で復帰から四七年経っても、当然と考えて陸も空も海も全面的に実権を握って民主主義の誠意の欠けらもない軍事訓練の繰り返しである。

平和憲法は、法形式上最高法規となっているので、非武装と平和主義に基づいた反軍国主義と軍事増強主義の安保とは真向から対立するため「安保」ぬきにした沖縄の日米軍事帝国植民地基地の問題は、一歩も前進せず宙に舞うのみである。このように両者は根本的に対立し矛盾しているため、それを断ち切る選択肢としての道は、憲法改悪して安保と結合した路線にするのか、それに対し、平和憲法に基づいた民主主義の道を行くのか、二者択一を迫られた重大な岐路に立っているため、民主主義の根本原理を守り虚妄の説にしてはならない努力のすべてをつくして打ちこむことである。

## 六、核武装論は人類破滅への道である

憲法改悪の強硬論者は、憲法施行から現在までに国民の猛反発を買っているため、直接的に表現せ

ず国民の目をのがれて手を替え品を替えて、目から鼻へ抜けるように色々と解釈をしてきている。官僚政治権力者が言う核保有と憲法との関係では大陸間弾道弾のような攻撃兵器は「憲法上許されるものではないが、防衛力の範囲内の防衛的な核兵器であれば問題なし」とか「自衛のため」であれば、核兵器保持も憲法違反ではないと囁かれている。核兵器保有ということ自体、国会の場で囁くことが問題である。それが何んの躊躇もなく国会に登場すると、大陸間弾道弾も軍事兵器の進歩によって保有されるという見解も近き将来に議論されることが気懸かりだ。そうなると、人類の滅亡となる核兵器使用の可能性にどういう手段で食い止めるのか、国民の問題意識による行動様式にかかっている。

復帰四七年目の沖縄が「返還協定」で問題となったのは、復帰によって極東の軍事基地が弱体化しては困るということで、返還と引き替えに「安保」を強化してその保障を取り付けることとなったのである。「返還協定」の真実は、日米軍事植民地支配者のみ事の重大性を感知しておけばよいことで、憲法で保障された国民の「知る権利」があるにもかかわらず軍事機密という名に隠れて結んだ条項となっている。米国の元国務長官のキッシンジャー氏が「回顧録」で「当時の佐藤――ニクソンは沖縄へ核兵器の持ち込みを約束している」ことに対して追求されたが、自民党の政治権力者たちは答弁で「勘弁してほしい、キッシンジャー氏の見解は正しくない」と突っぱねて其処へ持って来て「沖縄への核兵器の持ち込みは絶対にありえない」と騙す手無しという対応である。

こうした経緯から復帰後も堅持した軍事機密を梃子に、国内軍事帝国植民地主義の権力者は、じりじりと軍備増強しながら日米軍事訓練を積み重ねて、県民を「もう感じなくなった」と言う慢性化した頭脳に仕立てて生命や財産を犠牲にしながら「諦め」の人間にしていき、挙げ句の果ては憲法改悪にも無関心にする政治の方向にしているため、全国民と県民が結束をはかって抵抗運動への輪を広げて阻止する態勢が現実の課題である。

核時代の現在の世界情勢で第三次世界核戦争になれば、最初の戦争犠牲は沖縄である。最近の新聞報道によると、日米のタカ派は限定核戦争の可能性を仄めかしており、その証拠に小型核兵器の実験をしているのである。

過去のタカ派の政権時代に、有力な週刊誌ニューズウイーク号（一九八一年九月号）で、対ソ核戦争について「ソ連に対する限定的核戦争を準備しなければならないとの結論を出した」と言明して世界中の人々を震撼させたのである。現在のトランプ政権は、核戦争をしなければ腹の虫がおさまらない、と言う意識のようである。しかし、人類の絶滅を考えた場合、全世界の人々の良心は何が何でも沈黙せず、抵抗に抵抗を積み重ねて徹底的に行動することになるであろう。

また、同じ号の世論調査の結果として、全人口の五〇％の高率で全面核戦争の可能性を意識している。それと同時に、日本の弁護士協会は「核戦争、核兵器に関する調査」で「近い将来核戦争が起こる危険性がある」と意識調査の結果を報告している。この場合「意識した」だけでは核戦争を阻止できないので、一歩手前で抵抗精神をかみ締めて抵抗運動に立ち上がることが肝要である。

復帰後の現在も俄かに核兵器の貯蔵が新聞報道されて、肌に粟を生じる深刻な状況になっている沖縄県民は、どうあっても承服できないので、今まさに正念場をむかえている。

復帰前後は「捨て石」基地の経済に左右されたが、沖縄独自の平和経済を望みながらその実現目途を模索して、悪の根源の基地から烏の鳴かぬ日はあっても、被害を受けないように基地病の自覚症状を乗り越えようとしている。現在ではこの努力の結果により、悪の基地経済に依存することも減少しているのは、県民の平和経済へ一致団結した努力によっているのである。さらに加えて、現世紀は核戦争の危険性に眉根を寄せる意識も高まって沖縄の核貯蔵に疑念を持ち、修羅を燃やして日常的に世論が沸騰しつつある。

唯一の戦争体験の教訓をかみ締めている沖縄は「すべての国の安全が軍備なしに保障される世界システム」を確立し、かつ「世界平和創造のために多くの人々が立ち上がる」ことを訴え、全世界の人々が一丸となって反核運動に参加することを訴えることができる。沖縄が、平和創造へ向けて真の民主主義に舵を取って全世界に誇る平和憲法を掲げて、世界の国々の先頭に立って、兵端を開くことのないように脳漿を絞り、抵抗運動に努力することのできるのが沖縄の平和魂である。

人類は今、「人権を尊重し、残酷な大量殺戮兵器のための軍事費」ではなく「貧困と窮乏に苦しむ人類のために経済力を強化する」ことを願っている。日本の政治的進路も軍備増強の税金ではなく、人類の幸福追求のために安保体制から脱皮し、具体的な近隣諸国の敵視政策を反省して政治的、経済的、文化的の分野で積極的に協力していけば、世界の国々から信頼と尊敬の目が向けられるであろう。

核時代において人類滅亡の危機を逃れて核時代を生きるためには民主主義に根付いた平和主義の下で、「反逆は常に正しい」という感情で、抵抗精神を抱いて抵抗運動に積極的に参加して行動することが全人類の幸福に結びつくことになるのである。

# テレビのなかの殺人狂時代を考える

## ——日常的に殺人行為を重視する——

### 一、悪魔の怪獣と愛嬌のある幽霊やお化けの正体

日本復帰前後の高校生の特徴は、三無主義と言われていたので、沖縄の将来に対する社会的不安を抱いていた。色ボケ、漫画ボケ、テレビボケが加わり、そこへ持って来てオートバイの疾走に生き甲斐を見つけるように衝動的な行動をする青少年が増加傾向にあったからである。

テレビのような映像文化の影響によって、平均四時間以上も視聴時間を消耗していることに対して、比較的忍耐力のいる読書には目を向けなくなってきたのか、論理的にものを考える力量も低下していくことに警戒しているのである。人類の創造のために読書量の不足で不安を抱いている若者たちや「テレビの見過ぎ」で苦悩していることに対して、立ち止まって真面目に物を考えてみることが現代を生きるのに必要である。

テレビで放映される少年向けの番組では、特にグロテスクな怪獣が登場していることが気掛かりである。一昔前は最も不気味で恐怖心を与えたのは幽霊であり、お化けであったのである。現代の少年たちも恐怖の対象となっているのは、やはり幽霊とお化けを挙げるようだが、幽霊の正体を見たら枯

れ尾花であったということもあるようである。しかし、その両者を比較してその正体を真剣に追求し、洞察力を駆使して観察するならば、その不気味は一議に及ばないと言える。

　高度経済成長のもたらした物質文明や科学技術の発達による幽霊や魑魅魍魎（ちみもうりょう）のお化けであったが、現代も同様に恐怖の対象となっているようである。しかし、両者を比較してその正体を追求すると、その不気味さは自ずから分かることになるであろう。

　愛嬌のある幽霊やお化けの住家となる森林地帯は自然環境の開発によってアパートになり、水道普及によって古井戸もなくなっているため住む場所がなくなっている。全国津々浦々まで開発という名の下で、凄い変わり方で自然破壊が進んでいるため、空気を濁らせ川や海を汚し山を削っている原因により緑の木々がなくなりつつあり、車や飛行機の騒音による異常な環境の中で人間も生物も生活が妨げられてきている。それに大地をセメントで固めていけば、当然の結果として弱者にとっては亡びる以外に道はないのである。幽霊やお化けも例外ではないであろうが、住家が破壊されるならば、あらゆる手段を駆使して復讐するにちがいない。だが、いくらグロテスクな姿で現れても、悪魔の怪獣の正体をはっきりと捉えることができるならば、恐怖心を抱くこともないし、現代では愛嬌のある存在となって、人間社会では愛とユーモアで接触してくれることがキャラクターの存在で証明していると言えるのだ。

　それに対して、テレビに登場する絶対的人気のあるのは、怪獣であるようだ。だが、何億年前に生きていた原始怪獣が、現代のテレビ番組に登場する原因を考える葦になることである。その真の正体が何を意味するのか理解できれば、身の毛がよだつ不気味さは、幽霊やお化けとは比較することはできない。野蛮と狂気の怪獣は、原子爆弾の実験により放射能を浴びた近代科学技術の産物のみならず原始的な動物であり、かつ巨大な怪獣に化けることの正体を察知することである。核兵器や生物化学兵器などの発達により大量殺戮して地上の建物を破壊する悪魔の怪獣である。科学技術の進歩によって原始怪獣の破壊力も増加傾向にあるのである。人間は、神様には不可能であった核分裂を成し遂げて巨大な破壊力を持つことができたが、それは人類の滅亡を象徴する核兵器による人類の急激な大量死という可能性を原始怪獣に託していることを考えてみることである。

このように、科学技術と結合した悪魔の怪獣は、現代人に不気味な存在となっている。それを征服する手段と方法は、科学技術を利用した人間によって征服されるが、その人間の設定として世人の正義感に訴える勇気のある人間の存在となっているのである。

## 二、悪魔の核兵器に洗脳されない

科学の進歩は、月まで到着する科学技術の成功に至っているが、人間性の本質的なものは昔から依然として変化しない野獣的な性格を持っている。それは、粗野で動物的な性質ということである。そういう精神的枯葉剤的人間が、科学的技術の理論を正義の名の下に、巨大なエネルギーを所有するとき、人類は恐怖の底無し沼へ突き落されることを一九六〇年代のベトナム戦争で熟知している。機械と人間、物と心の戦いであっても、結局のところ独立と平和のために団結して闘ったベトナム民族は、敗北した米帝国主義政権であるが、そこでは科学技術を使用して非合理的な戦争に狂奔する人間に、人心の荒廃した極めて原始的残虐行為を繰り返す悪魔の原始怪獣の正体をあばくことが容易である。

世界的に有名な科学者が、現代人を「ロボット人間でカメレオン人間であり、砂のような大衆である」と評している。確かに、世の中が進歩して合理的に組織的人間集団化すると、すべての人間は全く同じように画一化されて個性を失い、さらさらした砂のように粘着力のないものとなってしまうのである。そういう状況が疎外と断絶になると同時に、人間の精神状態が不安定となり、人格も死んでしまうのであろう。こうした現象が学校や家庭あるいは地域社会で極端に合理化されると、人間関係が孤独な群衆に成り下がり、挙げ句の果てには機械のように冷酷不人情な人間が増えることに目に障るのである。

科学文明の著しい進歩によって、環境破壊に犯罪と麻薬の激増、それに加えて深刻な不景気と失業者や消費税一〇パーセント増税による物価の上昇の反面、核兵器使用の未来を想定した小型化の開発と軍備増強のための莫大な軍需品の購入費に国民の承認を無視した予算を計上して金を注ぎこむ状況に、人間が疎外されていくにつれて、いつ人間の感情が爆発し人間性を失った原始的暴力怪獣になってしまうか想像することは困難ではない。それが正義と平和という隠れ蓑にして、科学技術と退廃的な人間の思想とが結合していくとその不気味さは喩えようもないのである。

人類の危機に晒されている世界情勢の中で共産主義国家と資本主義国家の核保有の大国が、科学技術を使って原始的怪獣の発想で冷戦を深めるようになると、人類の運命はどうなるのか想像するとぞっとする。

沖縄を七四年間の長期にわたって、軍事帝国植民地支配している日米両国が「国際平和と安全のためには軍事的手段を含むいかなる行動も辞さず戦う」という挑発的、好戦的な発言をすると、社会主義体制側も国民を守るには「米帝からの武力侵攻から社会主義国家と非同盟諸国家の利益と民族独立のための自由を守る」ことに国家の威信を失ってはならないと警告している。

超核大国の感情が爆発して敵対の牙を剥き出して砲火を交えることになると、人類の未来には百年の不作に身の毛がよだつのみである。こうした核保有国が、人類の運命を考えることに真剣に取り組むことなく、ひたすら自国の利益のみを考えて体制維持に熱り立って不信感を抱くと、米軍事植民地政権の支持者たちは「イランに核爆弾を使えばよい」とか、また「広島、長崎に原爆投下したのに、なぜテヘランや北朝鮮をやらないのか」と頬を膨らまし、何をしでかすかわからない理性と道理を失った暴力国家になることの不安が募るのである。

現在の世界的規模で人類が直面している深刻な危機的課題は、食料不足、資源の枯渇、環境破壊による汚染問題である。富める国家が、戦争に備えた軍需産業にお金や物資を使うのではなく飢えや病気で苦しんでいる発展途上国の人々の福祉向上に援助するならば、地球上は住みよいユートピアになるのは言う事無しである。現実は悲しいことに、第三次世界大戦へ石を敷き詰めつつあり、戦争になれば、核兵器を使用する可能性も確実的である。憎悪の感情が最高潮に達すると、日米太平洋戦争で敗戦の瀬戸際に立っているにもかかわらず広島と長崎に二種類の原爆投下したことが悪夢のように想起されるのである。

現在も同じ想定により敵対意識への国家に憎悪の牙を研ぎつつ、いつでも核兵器使用も当然ありうると断言しているのである。米軍事植民地主義者たちは、原始的怪獣のように不気味な体制で世界情勢の動きに目を光らせている。

現代のもう一つの課題として、核兵器を使った戦争の道を敷こうとする国会に対して、全世界の人々が異議を述べて行動で抵抗することが重要である。全人類の徹底した抵抗運動によって核兵器使用の息の根を止め、人類の未来を創造することができるのである。

核戦争による軍事侵略戦争に関する政治的問題は、平和条約に基づいた意思決定事項であっても、主義の異なる国家間において、風雲急を告げる国家危機になった場合、約束事は水の泡と消えてしまうのは、沖縄の辺野古新基地闘争の歴史的状況が証明している。そういうことになれば、全人類の意識行動こそ人類の明るい希望の鐘が鳴り響くことになるであろうと断じて言えるのである。

# あとがき

沖縄の将来への方向性について考えるとき、日米軍事帝国植民地基地を撤去した後の理想像について、次の詩を読み勇気を持ちたい。

／ぼくらは宇宙の彼方へ飛び立ちましょう／希望と平和の翼をひろげ／宇宙空間を駆け巡りぼくらの宇宙を作りあげる／永遠の時間の流れのなかに／宇宙一杯に広がるぼくらの夢／ぼくらは孤独な空間を飛びまわっているが／未来を作る若さがある／ぼくらは宇宙の彼方へ地球号に乗って／明日に輝く太陽となるのだ／ぼくらは未来だ／ぼくらは光り輝く未来の星となるのだ／

夢と希望に満ちた沖縄の児童生徒たちの描く夢一杯に溢れる未来の沖縄の姿が描かれた絵画に心が惹かれている。

希望と光を与えて輝く人生を送るために、県企画部が募集した「米軍基地跡地に一〇〇一の夢」として全琉の小中学生から県絵画コンクールに応募した「一〇〇一の作品」が集まったという素晴らしい計画に感動しているのである。

小中の生徒たちが、これから生まれてくる未来の子供たちに日米軍事帝国植民地基地の無用な怪物の存在を全面撤去させる抵抗運動の意志を持たせることは、沖縄の運命を決定する重要な平和的社会教育となっている。

将来の沖縄の運命を背負う生徒たちが、生まれた時から日米軍事帝国植民地基地が存在することに当然の意識を持たせてはならない。何故ならば、私たちの小学校時代を振り返ると日本地図を広げて国土全体を勉強する場合には、台湾や朝鮮半島（現在の韓国と北朝鮮）に樺太（現在のロシア領土）更に太平洋上の島々を、日本国土として赤く塗って国土意識を高める軍国主義の教育を思い返すからである。侵略戦争で剥奪した国々であるにもかかわらず、当然に日本国土と思っていたが、日米太平洋戦争で負けて戦後を迎えた瞬間に、それらの国土を返還したり、韓国のように独立国家になっているこれらの領土は、侵略して勝利したとして奪い取っているのである。

沖縄の日米軍事帝国植民地基地が金網に囲まれている地域は「米国領土である」という意識を徹底的に排除する意識教育ということで、県企画コンクールによる基地返還後の跡地利用の絵画コンクールには郷土意識の教育活動として高く評価することにしている。

沖縄の政治闘争の歴史の流れで、戦後から現在に至るまで、ウチナーンチュを精神的に分断した原因には日米の独裁的政治権力者たちの影の魔性の力によって、物心両面から差別至上の圧力万能主義が伸し掛かっているのである。それを廃滅するには、沖縄の心が一つになって岩を砕く力が発揮されることは過去の基地反対闘争による米軍事帝国植民地主義者たちを震撼させたことを教訓にすることである。ウチナーンチュヨマキテーナイビランド（沖縄人よ負けてはならないぞ）の強靭な精神力を噛み締めて現実の矛盾した社会環境を見詰めてみることである。

ウチナーンチュは「肝心（チムグクル）」をもった人々が多いので、その精神を悪用してこちらが誠意で基地問題の解決を持ち掛けても、平然と政治的圧力を掛けてくる偽の民主主義国家に、「水心あれば魚心」で答えることができないのでは「話し合い」する純粋な平和主義国家には全く縁も所縁(ゆかり)も無いと言うことである。

極東最大の米軍事帝国植民地基地の嘉手納基地とそれに隣接している最大級の弾薬庫の広さを認識しない、知識の低さである。既存の辺野古弾薬庫基地は、何のための存在となっているのか、ほとんど謎に包み隠されたままになっている。更に付加を高めるこれらの施設による爆音公害は目に余るものがあり地球上にはない沖縄の基地公害である。

復帰前は核兵器撤去運動で完全撤去された筈だが、その安堵の胸をなで下ろしたのも束の間で、その後は基地専門家の話によると、撤去されておらず核貯蔵された状態にあると指摘されている。その報道が、二〇一八年になって俄かに話題となり、極秘裏に口を噤んで口裏を合わせているため、狐と狸の化かし合いの状況下になっているのが沖縄の現実である。

沖縄県民の未来像は、ただ一つ日米軍事帝国植民地基地による騒音に怯えることのない青空を見詰める空間に希望をいだくのみである。

同じく日米軍事帝国植民地主義政策を踏襲してきた瓜二つの「民主党」の党名を頻繁に各論文で使用しているのは、沖縄の「民意」を過去の幾多の選挙で反映させているにもかかわらず、いずれも冷淡にあしらってきた結果、その後の状況が益々悪化して安倍晋三政権による沖縄に対する圧力万能主義の政策に暗雲がたちこめていることを認識しているからである。現政権の自民党による政治的、軍事的政策には、瓜二つになっていることを断言しているのである。

【著者紹介】
長浜　三雄（ながはま　みつお）
一九三三年沖縄県に生まれる。
一九九四年琉球大学大学院法学研究科法学専攻修了。
小中高校の教師及び大学で民法と憲法を教える。
著書に「無からの抵抗」「変革の狩猟者たち」「抵抗か服従か」「虹の国独立民主国家への指標」（郁朋社）
その他論文多数。

命響け希望に輝く宇宙まで
——椰子の実の流れ寄る宝の島——

2020年3月4日　第1刷発行

著　者 — 長浜　三雄

発行者 — 佐藤　聡

発行所 — 株式会社　郁朋社

〒101-0061　東京都千代田区神田三崎町 2-20-4
電　話　03（3234）8923（代表）
ＦＡＸ　03（3234）3948
振　替　00160-5-100328

印刷・製本 — 日本ハイコム株式会社

装　丁 — 宮田　麻希

落丁、乱丁本はお取り替え致します。

郁朋社ホームページアドレス　http://www.ikuhousha.com
この本に関するご意見・ご感想をメールでお寄せいただく際は、
comment@ikuhousha.com　までお願い致します。

　ISBN978-4-87302-715-9　C0095